번뇌 만발 사람들에게 들려주는 소소한 이야기

마음이
나이만큼
안 늙어서

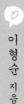

이형순 지음

불교신문사

작가의 말

12월, 소설이 코앞이다.

함박눈은 언제나 좋다. 하늘에서 내리는 것들, 허공의 조화는 늘 신묘하다. 텅 빈 곳에서 쏟아지는 햇볕이 그렇고, 소나기가 그러하며 눈과 무지개가 또 그렇다. 별과 달 역시 무심하게 빈 것에 매달려 있다.

마음에 아무것도 가진 게 없는데 한 권 한 권, '책'이라는 형상이 되어 세상이라는 허공에 매달린다. 이적초앙, 쌓아 놓은 것은 재앙을 부른다 했다. 책을 한 권씩 보탤수록 뻔뻔한 욕심을 쌓는 것인지 부끄러운 허물의 흔적을 남기는 것인지 알 수 없다. 그럼에도 아직은 소소한 기쁨이 더 크다. 이 책이 세상에 햇살 한 움큼의 값어치라도 되기를 바랄 뿐이다.

오늘 아침 숲속에서 낙엽의 소리를 들었다. 4월에 낙화하는 화려한 벚꽃만큼이나 11월의 낙엽도 눈부시게 지고 있었다. 물기가 말라 바삭해진 몸뚱이는 바람을 거스르지 않고 타닥타닥 낙숫물 소리를 내며 신명 나게 나풀거렸다.

미처 몰랐다. 땅에 스며들기 전, 바람을 탄 낙엽이 저토록 힘 있게 마른 잎을 반짝이며 명멸하는 줄은…. 〈마음이 나이만큼 안 늙어서〉라는 말처럼 한해의 순환을 마친 낙엽의 마음은 조금도 늙지 않았다. 주저하지 않는다. 그래서 소멸하는 순간까지 인간에게 아름다움을 가르치는구나, 했다.

나무의 새순처럼 어렸던 시절, 교실에 걸린 태극기 액자 아래서 수없이 만났던 철수와 영희는 지금쯤 어떻게 살고 있을까. 이 책은 교과서 속에서 보았던 그 철수와 영희가 주인공이다. 이 책은 남자 당신이 주연이고, 여자 당신이 중심이다. 너무 흔하고 익숙해서 특별해져 버린 이야기들이다.

고마운 마음을 전합니다. 불교신문사에 감사하고, 이 책을 눈 밝게 보아주신 하정은 부장님에게도 감나무에 하나 남은 홍시의 미소를 보냅니다. 그리고 세상에 단 한 분, 작가를 햇

살처럼 감싸 안아주신 아버지 이성석 님께, 아주 오랫동안 어깨를 주물러드리고 싶다는 말씀 올립니다.

한겨울, 동치미 같은 책이 되어 시간이 흐를수록 시원시원 감칠맛 나는 책이 되기를 소망합니다.

꿈을 깨고 나면 환상임을 알고 크게 웃는다.

용인 광교산 자락에서

이형순

차례

1막
봄_ 19살에게

2막

여름_ 마음이 나이만큼 안 늙어서

3막
가을_ 살맛이 날 때

4막
겨울_ 도둑이다

1막 봄,

19살에게

91살이 19살에게

어흠…크흠….

바깥에서 헛기침 소리가 들렸다.

사미승은 이불 속으로 파고들었다. 잠시 후, 다시 문 두드리는 소리가 세 번 울렸다. 사미승은 새우처럼 몸을 더 웅크렸다. 바깥에서 다시 낮은 휘파람 소리가 얇은 미닫이문 사이를 비집고 들어왔다.

방안의 사미승은 여전히 일어나지 못한다.

쿨럭 쿨럭~ 바깥에서 도저히 참을 수 없었던 해소천식 기침이 터지자, 안팎을 나누고 있던 창호지 문짝이 맥없이 무너져 내려버린 것 같았다.

마침내 사미승이 부스럭거리며 덮었던 이불을 겨우 걷어낸다. 단번에 일어나지 못하고 요 위에 무릎을 꿇고 머리를 바닥에 조아린 채, 그대로 엎드린다. 잠을 털어내려 빡빡 머리를 도리도리해가며 아미타불을 불러본다. 사미승은 다른 어떤 일보다 새벽에 잠 깨는 일이 사천왕상의 퉁방울눈을 마

1막 봄,

주 쳐다보는 것처럼 힘들다.

가까스로 잠을 털고 일어난다.

문을 열자, 이미 바깥에는 아무도 없다.

섬마을 새벽 5시. 바닷바람이 그물을 뚫고 지나가듯 온몸에 구멍을 샅샅이 휘저어 놓고 지나간다. 아리도록 매섭다.

새들의 마른 낙엽 헤치는 소리가 선명하다. 전각의 현판은 아직 어둠에 묻혀 있다.

오늘도 그분에게 신세를 졌다.

도량석은 지각이다.

사미승은 허겁지겁 대웅전으로 향했다.

촛불을 켜고 청수를 올리고 향을 꽂았다.

삼배를 올리고 목탁을 집어 들었다.

사미승이 대웅전 앞마당에 섰다.

이번에는 세상 두두물물을 사미승이 깨워야 할 차례.

대웅전 앞에서 도량석을 시작한다.

도량석 목탁은 작은 소리에서 큰소리 쪽으로 쳐올리는 활타로 쳐야 한다.

도도도도 또 또 똑 똑 통통통~

정구업진언 수리수리 마하수리 수수리 사바하~

보통 인시寅時인 새벽 4시에 도량석을 돈다. 인시는 오전 3~5시다. 주역에서 하늘은 자시子時 그리고 땅은 축시丑時에 열리고, 사람은 인시에 열린다고 했다. 아무리 늦어도 인시 안에는 도량석을 돌아야 하지만, 늦잠을 잘 때가 있다. 홀로 문간방에서 지내며 인시에 눈을 뜨는 일은 쉬운 일이 아니다.

작은 절이지만 주지 스님은 엄하다. 일체유심조이니 정신력으로 버티지 못할 바에야 일찌감치 중노릇 그만두라 하신다. 자명종이나 휴대전화는 언감생심이다.

조금 떨어진 풀꽃교회에서도 새벽종이 울린다.

바닷가 마을의 첫새벽은 사찰의 도량석으로만 열리는 게 아니다.

새벽 3시면 아침잠이 없는 풀꽃교회의 종지기 노인이 눈을 뜬다. 벌써 51년째 바닷가 마을, 산골 교회의 종 치는 소임을 맡고 있다.

새벽 3시면 저절로 눈은 떠지지만, 일어나서 걷기까지가 수월치 않다. 머리부터 발끝까지 주무르고, 이빨을 부딪는

1막 봄,

고치법과 손바닥을 비벼 치고, 기氣 세수를 한 끝에야, 앉은 뱅이책상을 의지해 겨우 일어나 걸음을 뗄 수 있다.

종지기 노인이 거처하는 곳에서 교회 종탑까지는 500m 거리다. 지팡이에 의지해야 하는 다리로는 가까운 거리가 아니다. 보통 10분이면 걸어갈 거리지만, 노인은 30~40분이 족히 걸린다.

시력과 청각이 부쩍 어두워진 종지기 노인은 지팡이를 안내견 삼아 한 걸음 한 걸음씩 신중하게 발을 놀려 교회로 향한다. 종지기 노인은 새벽안개로 버무려진 짠 내를 맡으며, 동네의 어둠을 가장 먼저 밀어 올리는 사람이다.

노인이 20여 분을 걸으면 용궁사 앞을 지나친다. 이때쯤이면 새벽 4시가 넘어가는 시간이다. 틀림없이 도량석을 도는 스님의 목탁 소리와 염불 소리가 담을 너머 낭랑하게 울려 퍼져야 할 때다. 도량석 소리가 날 때까지 노인의 걸음은 점점 더 느려지고, 귀는 쫑긋해진다.

고요한 새벽을 깨우는 젊은 스님의 패기 어린 목소리는 종지기 노인에게도 활력이 된다. 지난 시절, 바닷물 색깔만큼이나 새파랗던 때를 떠올리게 한다. 날마다 자신을 삼키고야 말 것 같던 그 어마어마한 파도와 풍랑의 시간들… 그리고 탈색되어가는 얼굴들….

노인은 종을 치기 위해 교회로 가는 길 위에서, 용궁사에서 흘러나오는 도량석 소리를 오랜 세월 들었다. 어떤 때는 새벽 4시도 되기 전에 이미 도량석을 끝내버릴 만큼 아침잠이 없던 스님도 있었고, 또 어떤 스님은 불경 소리가 너무 구슬프더니 끝내 얼마 못 가 환속해 버렸는가 하면, 또 어떤 스님은 도량석 시간이 들쭉날쭉하여 종지기 노인의 심기를 불편하게 했다. 그런데 이번 사미승은 거의 일 년여간 같은 시간에 도량석을 곧잘 돌았다. 목소리는 앳되었지만, 부처님을 향한 신심이 묻어나는 것을 노인도 느꼈다. 그러나 흠이라고 한다면 한 달에 두어 번은 그놈의 '잠 귀신' 때문에 늦는 일이 생긴다는 것이다. 보나마나 엄한 주지 스님에게 혼쭐이 날 것이 뻔한데도 잠을 이기지 못한다.

노인은 종을 치러 용궁사 앞을 지나칠 때, 도량석 소리가 없으면 여간 마음이 쓰이는 게 아니다. 걸음을 늦추고 늦추어도 목탁 소리가 들리지 않으면, 끝내 발걸음을 되돌려 용궁사 안으로 향한다.

도량석 스님이 거처하는 문간방 앞에서 헛기침으로 기색을 주거나 지팡이로 문을 두드린다. 어떤 때는 휘파람으로 대신한다. 안에서 사미승이 잠이 깨어 뒤척이면, 노인은 사미승이 보내는 그 몸짓의 신호를 느낄 수 있다.

사미승이나 자신이나 세상 만물을 깨우고 신에게 첫인사를 드리는 막중한 소임은 같다.

이보다 더 신성한 일은 없다.

노인은 그 직분에 맞게 사미승의 위신을 생각해서라도 잠귀신을 쫓아낼 수 있는 신호만 주고, 지팡이를 더듬어 사라진다.

노인은 19살 사미승을 먼발치에서 몇 번 보았다. 교회에서 종을 치고 새벽 예배를 마치고 내려올 때, 용궁사 앞에 쌓인 눈을 땀을 뻘뻘 흘리며 치우는 젊은 청춘을…. 그리고 자신의 새파란 동지이자 물구나무선 또 다른 91세를….

노인이 한 달에 두어 번 도량석 종지기 사미승을 깨워주고 교회에 도착하면, 4시 30분이 가까워져온다. 종탑 아래 낡은 의자에 앉아 한숨을 돌린다. 숨이 돌아오면 먼지 낀 탁자 위에 놓여 있는 카세트테이프를 재생시킨다. 찬송이다.

내일 일은 난 몰라요 ♫ 난 단지 오늘 하루 살아요 ♪
오늘 하루 햇빛을 믿지도 않아요 하늘은 금세 잿빛으로 변하거든요
미래 일도 걱정하지 않아요 주님 하신 말씀을 기억하거든요 ♫♪

새벽 4시 30분.

오랫동안 만물을 깨워온 노인은 새벽 고요를 어르는 방법을 안다. 그런 면에서 도량석 목탁과 종소리는 인생을 닮았다. 어루만지듯 시작하는 활타^(올림타)로 새벽 생명을 깨우고 살타^(내림타)로 숨을 돌리고, 다시 활타로 맹렬히 살아나서 살타로 잦아든다. 종국에는 걸기타^(꺽기타)를 지나 무無로 돌아가는 마침타로 소리를 맺는다.

종지기 노인이 찬송을 배경 삼아 종탑에 서서 긴 줄을 잡는다. 종소리가 소음이 되어서는 안 된다. 리듬을 타는 종의 호흡이 편해야 한다.

줄을 당기기 전에는 늘 기도하는 마음이 된다. 줄을 당기면 종이 반동의 리듬을 타고 제 몸에서 종소리를 동글동글 굴려낸다. 청아한 타원들이 종에서 빠져 나오며 복음을 만들어낸다.

세상을 깨우는 종소리가 방울방울 활타로 파문되며 용궁사로, 바닷가 마을로, 갈매기의 날갯죽지 사이로 퍼져 나간다.

첫 번째 줄을 당기며 두 사람만 모여도 싸우려는 세상 사람들에게 평화를….

두 번째 줄을 당기며 지긋지긋하게 가난했던 바닷가 마을 사람들이 부자 되기를…,

세 번째 줄을 당기며 숨이 떨어지는 그날까지 종 줄을 잡아당길 수 있는 힘을 달라고,

기도한다.

종지기 노인이 있는 힘을 끌어 모아 종을 친다.

곧, 5시가 되면 그 종소리에 끌려 새벽기도를 하려는 사람들이 교회 언덕을 오른다.

도량석을 끝낸 작은 절, 용궁사도 풀꽃교회 종소리가 시작될 때쯤이면 몇 안 되는 사람들이 옹기종기 모여 새벽 예불을 시작한다.

사미승은 새벽 예불에서 관세음보살 정근을 30분씩 하고 나면 밥 생각이 굴뚝같다. 19살 도량석 목탁지기는 날마다 잠에 고프고, 돌아서면 허기에 시달린다.

새벽 예불을 마치고, 아침 공양을 할 때쯤이면 풀꽃교회 종지기 노인이 용궁사 앞을 지나갈 시간이다. 그 사실을 사미승은 안다. 그러나 아직 한 번도 종지기 할배에게 깨워주셔서 감사하다는 말씀을 드려본 적이 없다. 말을 걸어본 적조차도 없다. 다만 종지기 할배가 자신을 깨우러 오지 않아도 되게, 잠을 일찍 자겠다는 다짐을 한다. 하지만 잠은 자도 자도 부족하고, 나날이 늘어만 간다.

종지기 노인도 그 시간이면 용궁사 앞을 지나 집으로 돌아가 혼자만의 식사를 한다. 고추장과 동치미 한 사발을 반찬 삼아, 밥을 물에 말아 홀홀 자신다. 잠은 갈수록 줄고, 식사량은 적어진다. 입맛이 맹탕이다.

TV를 켜놓고 낮잠을 혼곤하게 자다가 홀로 잠이 깰 때면, 햇살이 흐드러지게 좋은 날이 있다. 방문을 열어 재끼고 마당의 햇살을 우두커니 앉아 보고 있노라면, 91살 종지기 노인은 불현듯 19살 사미승을 만나러 가고 싶어진다.

가서 아침잠에 대해… 종 치기에 대해… 그 아이에게 이야기하고 싶어진다.

먹지도 말고, 낳지도 말며

애꾸였다.

애꾸는 한 눈을 잃은 이후로 지붕에서 땅으로 내려오지 않고 있다. 지붕에 웅크리고 앉아 남은 한쪽 눈알로 고이는 빛들을 긁어모아, 그 빛을 주변으로 샅샅이 쏘아 보낸다. 허약한 몸뚱이임에도 인간을 읽어보려는 서치라이트는 잠시도 끌 수 없다. 인간에 대한 적의와 두려움의 힘으로 눈빛은 겨우 지탱된다.

검은 머리를 가진 사람 중에 단 한 사람. 그녀를 발견하자 애꾸의 한쪽 눈이 고요해진다. 몸을 일으켜 그 사람을 향해 불룩해진 배와 단단해진 젖꼭지를 출렁이며 걷는다. 애꾸는 여인을 향해 갸르릉~ 소리를 보낸다. 여인은 애꾸가 보내는 파동을 용케 포착하고, 사료와 신선한 물을 낮은 기와지붕에 올려주었다. 애꾸는 여인마저 온전히 믿지 못한다. 그녀가 사료를 놓아주고 두어 걸음 물러선 후에야 사료 그릇으로 다가간다.

탑 보살은 절의 뒷마당에서도 가장 후미진 곳에 있는 탑을 관리하는 여인이다. 여인은 길냥이 애꾸가 한눈을 어떻게 잃었는지 기억하고 있다. 도심의 사찰, 대웅전 주변에는 항상 세상이 원하는 길에서 빗나간 이들이 모여든다. 몸과 마음이 엇나간 그들은 대웅전 주변에서 안심을 얻기도 하지만, 때로는 온몸으로 독하게 몸부림친다.

지난겨울, 함박눈이 수북이 쌓였던 날. 길 위에 놓인 길냥이의 먹이는 자꾸만 함박눈에 덮였다. 애꾸는 온종일 배를 곯았다. 그때 대웅전 주변에서 노숙하던 한 부랑인이 참치 캔을 내밀며, 그때만 해도 두 눈을 가지고 있었던 애꾸를 불렀다. 애교가 많았던 애꾸는 흰 눈에 발자국을 꾹꾹 찍으며 주저 없이 먹이에 다가섰다.

훅 끼쳐오는 술 냄새가 애꾸의 코를 찔렀다.

순간, 날카로운 흰색이 길냥이 머리를 쏘았다.

흰 눈이었을까? 흰 빛이었을까?

눈알에 칼날같이 아리고 시큰한 통증이 쌩! 하고 치고 달아났다.

딸꾹딸꾹, 애꾸의 귀에 부랑인의 딸꾹질 소리가 들렸다.

애꾸는 무심코 앞발을 들어 자신의 왼쪽 눈을 쓰다듬었다. 순간, 불에 타는 듯한 통증이 온몸을 지지고 헤집고 도려내는 것 같았다.

애꾸의 왼쪽 눈을 꿰뚫은 것은 우산살이었다. 부랑인은 물속의 물고기를 작살로 잡듯, 겨울의 흰 눈 속에서도 눈알을 번뜩이며 유연하게 유영하며 살아내고 있는 애꾸의 눈을 그 자리에 못 박아 세워버린 것이다.

애꾸의 서치라이트는 창이 깨진 채 우뚝 멈추었다. 빛이 사라졌다. 우산살로 부수어진 서치라이트는 붉은 피로 가려졌고, 주위로 새카만 어둠이 내려앉았다. 애꾸는 남은 한쪽 눈을 수명이 다한 형광등처럼 깜박였다.

부랑인은 두려웠다.

자신의 속내를 엑스레이처럼 꿰뚫어 보고 있을 것 같은 애꾸의 서치라이트가⋯. 그 눈과 마주치면 무엇을 들킨 것 같아 몹시 불편했다. 어쩌면 자신의 눈에, 자신의 심장에 그렇게 우산살을 쑤셔 박고 휘저어 버리고 싶었는지 모른다.

탑보살이 탑을 청소하러 오는 길목에서 발길을 멈춘 것은 애꾸가 보내는 심상치 않은 울음 때문이었다. 탑보살은 탑 주위에서 부랑하는 이십여 마리의 길냥이들의 파동을 알고 있다. 아이들은 각자의 울음으로 자신이 어디 있음을 알렸다. 탑보살은 길냥이들이 내는 소리의 차이를 자신이 붙여준 이름보다 먼저 구별했다.

애꾸는 흰 눈 속에서 눈에 피를 흘리며 탑보살이 나타나기를 기다렸다. 탑보살의 인기척을 느끼자 아이처럼 서럽게 울어댔다. 탑보살은 애꾸를 보고는 그 자리에 주저앉았다. 한쪽 서치라이트를 부숴버린 우산살이 아직 하늘을 향해 건들거리며 살아 있었다. 탑보살을 찾느라 애꾸가 고개를 돌릴 때마다 우산살도 고개를 따라서 와이퍼처럼 허공을 쓸어냈다. 함박눈이 내리는 무정한 도시의 하늘을 싹싹, 문드러지게 닦아 내고 있었다.

길냥이에게 도시는 먹지도 말고, 잠들지도 말고, 낳지도 말고, 눈에 띄지도 말고, 인간을 쳐다보지도 말며, 아무것도 하지 말 것도 말아야 하는 곳이었다.

애꾸의 와이퍼는 탑보살의 꺽꺽대는 울음소리가 허공으로 퍼져나가자 겨우 멈춰 섰다.

탑보살은 절의 가장 별 볼 일 없는 자리에서, 볼품없이 키까지 작은 5층 석탑을 지킨다. 얼마 전까지만 해도 5층 석탑 주변은 무숙자 부랑인들의 침대이자, 식탁이자, 술집이었다. 아무도 돌아보지 않는 난장판인 탑이었다.

탑보살은 석탑을 그대로 내버려둘 수 없었다. 그래 봬도 5

층 석탑은 한때 대웅전 앞마당에서 부처님의 진신사리를 품고, 신도들의 사랑을 한껏 받았던 몸이었다. 그러나 절 살림이 부유해지자 대웅전의 위용에 어울리지 않게 초라하다는 이유로 품속의 진신사리를 해체당하고, 뒷마당 눈에 띄지 않는 곳으로 쫓겨났다. 물론 대웅전 앞마당에는 5층 석탑에게 진신사리를 물려받아, 사리를 잉태하고 8각으로 뽐을 낸, 눈부시게 몸매 훤칠한 9층 석탑이 새롭게 들어섰다. 사람들도 그간 짜리몽땅한 5층 석탑을 돌다가, 두 배로 키가 커진 8각 9층 석탑 주위로 탑돌이를 하게 되자, 기도가 전보다 더 영험해진 것 같다며 흐뭇해했다.

탑보살은 소화불량 환자처럼 얼굴이 찌푸려졌다. 5층 석탑만 보면 불쌍해 죽을 지경이었다. 석탑은 뱃속의 진신사리라는 금쪽같은 아이를 후처와 같은 늘씬 미녀에게 빼앗기고, 아무도 찾아보지 않는 골방 같은 곳에 내팽개쳐진 신세였다. 처량했다. 게다가 그도 모자라 부랑인들이 술에 취해서 석탑 몸뚱이를 마음껏 만지고 주무르고 잠자리로 이용했다.

탑보살은 잠이 오지 않았다. 자신의 몸이 몹쓸 인간들에게 갈래갈래 유린당하고 있는 기분이 들었다.

그깟 진신사리가 뭐라고….

그것을 품고 있을 때는 모두 고개를 조아리던 사람들이

어느새 늙고 초라한 빈껍데기만 남았다고 이런 취급을 한다는 말인가. 가만 보니 탑 팔자나 사람 팔자나 다를 바가 없었다.

5층 석탑만큼이나 무시당한 세월을 살았던 탑보살은 먼저 부랑인들과의 전쟁을 시작했다. 육두문자가 날아가고, 머리 끄덩이를 잡혀가면서도 그들과의 싸움을 피하지 않았다. 석탑에 뿌리를 내린 잡풀처럼 죽기 살기로 탑에 엉겨 붙어 떨어지지 않았다. 그리고 끝내 그들을 탑에서 떼어냈다.

제일 먼저 그들이 떠난 탑기단에 서원이 적힌 수십 개의 작은 꽃 화분을 모시는 일을 했다. 그리고 탑 주위로 빙 둘려 있는 돌 의자는 누구나 편히 쉴 수 있게 꾸몄다. 애물단지가 된 못난이 탑을 찾는 이들에게는 아무 대가없이, 아무 분별없이 쉬지 않고 차를 대접했다.

사람들이 간혹 탑에 공양하는 불전은 차곡차곡 모았다. 모은 돈은 애꾸와 같은 길냥이들의 사료와 약값이 되었다. 한 달이면 사료값으로만 50만 원이 넘게 들었다.

절 뒷마당, 사람들이 잘 찾지 않는 5층 탑 주위로 떠돌기만 하던 것들이 하나 둘 모여들기 시작했다. 길냥이들이 탑보살을 따라 모여들었고, 드잡이하고 싸우던 부랑인 중에 일부가 모였으며, 절에서 일하는 하루살이 일당벌이 일꾼들이

CCTV를 피해 쉬느라 모였고, 화장실 청소원들이 모였다. 이들은 탑보살이 정성껏 타주는 차를 나눠 마시며 잠깐의 호사를 누렸다.

5층 석탑, 그 탑 아래에 앉아 있으면 처음 본 사람들끼리도 금방 말이 통했고, 별것 아닌 이야기에도 서로 킬킬대며 웃어 재낄 수 있었다. 5층 석탑의 서러움을 닮은 인간 들꽃들만의 무대였다.

그러나 석탑에 둘러앉아 이야기를 잘 나누다가도 들꽃들의 눈빛이 확 달라지는 때가 있다. 그것은 바로 탑보살이 길냥이에게 먹이를 줄 때다. 동물에게 정성을 들일수록 그들의 눈썹은 일그러진다. 그들은 사람인 자신보다 동물이 더 진심 어린 대우를 받고 있다고 느끼면, '짐승만도 못한 놈'이라는 자괴감에 시달리는지 공격적인 적개심을 발동한다.

탑보살은 애꾸가 우산살 공격을 당한 것도 자신의 탓이라고 생각한다.

애꾸가 해코지를 당한 날 아침, 술 취한 부랑인 하나가 탑보살에게 먹을 것을 요구했다.

"사람인 나도 좀 먹게 생선 좀 줘 보슈~"

"술 깨고 와!"

탑보살은 얼마 전부터 동네 생선가게에서 생선을 얻어다

길냥이에게 먹이고 있었다. 겨울에는 길냥이 사료가 턱없이 부족해진다. 싱싱하지 못한 생선이나마 아이들의 배고픔을 면하게 해줄 수 있었다.

"씨팔, 내가 고양이 새끼보다 못한 팔자네?"

"술 깨고 오면 내가 생선 삶아줄 테니까 그때 와."

부랑인은 사납게 화를 냈다. 앞으로 자기 눈앞에 띄는 길냥이는 모조리 쇠 화살로 사냥해서, 생선 대신 구워 먹어버릴 것이라고 뇌까렸다.

탑보살은 허약해진 애꾸가 땅으로 내려와 새끼를 낳기 바란다. 이 땅이 불안해 아무리 배가 고파도 지붕에서 내려오지 않는 애꾸를 볼 때마다, 까치발로 서서 사료와 물을 지붕에 올려줄 때마다, 탑보살은 코끝이 시큰해진다.

곧 태어날 새끼들은 부디 땅을 디디고 살아야 한다. 아무리 먹지도 말고, 낳지도 말고, 눈에 띄지도 말라는 모진 세상일지라도 말이다. 이렇게 소박맞은 5층 석탑 아래 끼리끼리 모여서 덩기덕 덩덕쿵~ 흥얼거리며 살아내면 되는 거라고 애꾸에게 말해주고 싶다.

탑보살은 연신 혼자 중얼거리며 애꾸의 새끼들을 무사히 순산시키기 위해 지붕에 사다리를 걸쳤다. 그물을 들고 지붕으로 기어오르기 시작했다.

　문드러지게 닦아내고 싶은 도시의 하늘에서 굵은 눈이 흐
드러지게 내린다.
　애꾸의 마지막 남은 하나의 서치라이트가 그물을 든 탑보
살의 검은 머리를 불안하게 비추었다. 이내 축 늘어진 배를
힘겹게 일으켜 세워, 건너편 지붕 쪽을 향해 서치라이트 불
빛이 휘청휘청 걸음을 옮겨가고 있었다.

1막 봄,

나는 참 행복합니다

"이게 홍어들 집이요?"

"갸들이 여기서 살지…."

백사장으로 불어오는 바닷바람이 스산했다. 방 씨는 85년 만에 처음 본다. 짙푸른 바다를, 홍어의 집인 12월의 겨울 바다를….

"홍어한테 신세 지고 산 지가 50년이요. 그런디 바다라고 생긴 것을 이제사 와보니… 나도 참 무심한 위인이지라?"

방 씨는 눈을 가늘게 뜨고 바닷바람을 정면으로 맞으며 말했다.

"무심코 말고… 젊어서 그리 가자 해도 꿈쩍도 않드마."

방 씨의 남편은 그래도 88년 만에 처음은 아니었다. 젊어서 간간이 시장 골목 계원들과 홍어가 사는 바다를 구경했다.

"오늘… 우리… 홍어를 만나러 가는 건 잊지 않았지라? 갸들 만나서 고맙다고 말이라도 전해 줍시다."

방 씨가 말했다.

"자네가 거기까정 잘 밀고 들어갈 수 있을지 모르것네. 모 래밭에서는 휠체어가 원체…."

구 씨의 말에 방 씨가 가만히 손을 잡았다. 두 사람은 가 늠할 수 없는 바다의 속살 같은 미소를 지었다.

시장 한 귀퉁이에서 홍어찜과 회를 판 세월이 50년이다.

장사를 시작한 지 20년이 되던 해에 간판 한 귀퉁이에 20 년 전통이라고 글자를 새겨 넣었다. 그 이후로도 그 간판은 30년째 그 자리를 지키고 있다. 여전히 20년이라고 쓰인 채 로.

뻘건 페인트로 20년이라는 글자를 써넣을 때만 해도 방 씨와 구 씨 내외는 참 징하게 오래 홍어 장사를 했다고 생각 했었다.

"내 얼굴이 어떻소? 홍어랑 많이 닮았지라? 눈만 뜨면 홍 어를 만지다 보니까 날이 갈수록 홍어를 닮아가드라고요. 머 리통은 해마다 물기가 빠져 쪼글쪼글 말라붙고, 볼때기는 홀 쭉해짐시롱 틀니 해 넣은 주둥이만 툭 튀 나와 보이고, 눈 은 꾸물꾸물 쪼깐해지고, 등짝에도 거무튀튀한 검버섯이 피 고… 몸땡이가 딱 홍어 색깔이 되드만요. 홍어가 딱 내 얼굴

짝시요."

방 씨의 말에 구 씨가 고개를 돌려 방 씨 얼굴을 올려다보았다.

"가오리면 모를까 홍어는 아녀. 홍어는 각이 탁탁 안 잡혀 있는가. 자네 얼굴은 두툼허니 광대뼈하고 턱도 도리야 허고, 몸도 둥그스레하지 않은가. 코도 홍어처럼 뾰족한거이 아니고 가오리처럼 납작허고…. 자네는 가오리네."

"이왕이면 값나가는 홍어를 닮아야지 가오리를 닮았다 할 건 또 뭣이요?"

"자네가 하도 홍어 하면 몸서리를 치니까 내가 당신 생각해서 그러는 거 아닌가."

방 씨가 퉁을 놓자, 구 씨가 허겁지겁 변명했다.

"하이고 말은! 아무리 징글징글해도 좋은 게 앞으로 홍어라 해주씨요. 우리가 그 홍어 아니었으면 어찌 살았것소. 그 긴긴 세월을…."

방 씨가 휠체어에 앉아 있는 구 씨에게 무릎 담요를 여며주며 아득한 표정을 지었다.

"미안허이… 50년이나 이 고물 덩어리나 끌게 해서…. 내 몸만 성했어도 자네가 이리 오래 홍어를 만지고 살지는 않았을 터인데…."

"바다가…실제로 어뜨케 생겼을까 하고 많이 궁금했었소. 막상 보니까 테레비에서 보던 거 하고는 하늘과 땅 차이요. 무섭소! 홍어가 사는 집이 무서워…"

방 씨는 구 씨가 미안해하는 말을 외면하고, 처음 본 바다 이야기를 꺼냈다.

바람이 불 때마다 파도는 허공을 핥아댔다. 파도의 혀는 마치 홍어가 날개를 펴서 바다 위를 날고 있는 모양새였다.

홍어야 훨훨 날아라.
네 몸뚱이 썩은 냄새에 고개 돌리고 구토하는 이도 있고,
네 이름만 들어도 좋아서 자다가도 벌떡 일어나는 이도
있다.
톡 쏠 줄 아는 네 독한 성깔에 취해
나도 어느새 백발이고, 등뼈는 가시가 되었구나.
늙어 구부러진 가시라도 세워, 훨훨 날아 네 집에 가련다.

방 씨의 눈은 바다 위를 나는 홍어에 고정되었다.

'미안하기는 내가 당신에게 미안하지요. 내 나이 35살 노처녀였고, 당신은 사별하고 홀로 된 38살, 늦은 나이에 만나

바로 임신을 하고, 그때 왜 그리 삭힌 홍어 생각이 나던지….

입덧하는 날 위해 나주 영산포까지 차를 몰고 홍어를 구해오던 당신. 그날 이후로 당신은 영영 휠체어신세가 돼버렸지만, 박살이 난 차 안에서 삭아 가던 홍어만은 건져냈다는 당신을 보며 나는 보란 듯이 으득으득 홍어를 씹어 먹었지요. 홍어는 자꾸 코를 쿡쿡 찔러댔고, 눈물은 하염없이 흘러내렸어요.

홍어를 먹고 홍어를 닮은 아이를 낳고 그 아이는 20년을 우리에게 톡 쏘는 맛을 안겨주었지요. 자식 맛은 홍어만큼이나 중독입다. 옛사람들 말대로 인생은 참 허망하지요? 홍어처럼 물속을 수영하다가, 홍어처럼 운명이라는 낚시에 걸려, 아이는 우리와의 인연을 다했지요. 그해 63빌딩이 개장해서 꼭 보러 가자고 철석같이 약속했었는데….

그때 홍어 장사를 때려치우려다가 우리 두 사람 이를 악물고 '20년 전통'이라는 글자를 간판에 간신히 꾹꾹 다시 박아 넣고, 마음을 다잡았더랬지요.

아이가 떠난 이후로 물을 보는 것만으로도 무서워서… 아예 시냇물에조차도 발 한 번 담그지 못했어요. 홍어가 사는 집이… 우리 아이가 누워있을 집이… 너무 무서워서….'

방 씨와 구 씨는 아이가 떠난 이후 아이 이야기는 하지 않았다. 늘 홍어 이야기로 하루를 보냈고, 홍어 이야기 할 때만이 두 사람은 말이 통했다.

　"절창이구만요. 저 눈 좀 보씨요."
　방 씨가 아이처럼 달뜬 목소리를 내었다.
　"눈이 오는 거 보니 홍어도 산란할 때가 되얐구만. 살도 한참 차질 때고…"
　두 사람은 각자 담요를 머리끝까지 뒤집어쓰고 눈만 내놓은 채, 망부석처럼 흰 눈을 한동안 바라보았다.
　"당신…나랑 살면서 행복했소? 안 했소?"
　뜬금없는 남편 구 씨의 물음이었다.
　"홍어가 암수 금슬이 좋기로 유명하다는 것 알지라? 암컷이 잡히면 반드시 근처에 수컷이 있고, 수컷을 잡으면 곁에 암컷이 있다 안하요! 그렇게 홍어마냥 행복했으니까… 우리를 멕여 살린 홍어 집으로… 우리 아들이 누워있을 집으로 가자는 거 아니요. 이제 더 바랄 게 없으니까 말이요…"
　방 씨가 다시 한 번 마음을 다잡으려는 듯 구 씨의 휠체어를 힘주어 움켜쥐었다. 그 바람에 휠체어 손잡이에 걸려 있던 커다란 검은 봉지가 모래 바닥으로 굴러 떨어졌다. 왈칵,

검은 봉지에서 시너와 라이터 그리고 극약이 토해졌다.

방 씨가 무릎을 굽혀 그것들을 쓸어 담았다. 마치 홍어를 썰다가 남은 부산물을 처리하듯 주저하지 않는 손놀림이었다. 이 부산물들은 휠체어가 모래사장을 통과하지 못한다면 최후에 쓸 도구들이었다.

방 씨의 손에 다시 건져 올려진 검은 봉지는 휠체어 손잡이에 단단히 걸린 채 바닷바람에 세차게 나부꼈다.

어느새 싸리 눈은 함박눈으로 변하여 바다 위로 거침없이 쏟아져 내렸다. 어디서 흘러나오는지 젊었을 적 들었던 캐럴 소리가 흘러나왔다.

주름진 방 씨의 얼굴이 크리스마스 선물을 기다리는 어린 소녀를 닮아갔다.

'이제 우리도 산타 나이가 되었지요?

항상 이맘때쯤이면 아들에게 해줄 선물 준비에 우리가 더 설렜었는데….

지금쯤이면 온 세상이 알록달록 번쩍번쩍 춤을 추고, 흥겨운 웃음으로 출렁이고 있겠지요?'

"우리도 이제 삭을 만큼 삭았지라?"

방 씨의 말에 구 씨가 바튼 기침과 함께 클클클 웃음을 흘렸다.

"난 썩은 남자라 아무짝에도 쓸모없는… 진통제도 안 들어먹는 시한부 인생이고… 당신은 삭은 여자라 아직 톡 쏘는 맛이 살아 있잖소. 구태여 날 따라갈 필요 없다니까… 웬 고집을 그리도 피우는지…."

"그 얘기는 그만하기로 했잖소. 내가 좋아서… 행복해서 가겠다는데 왜 그러요? 당신 따라 산 덕분에 이만큼 좋았으니까 저 세상까지도 따라붙으믄 계속 행복해질 것 아니요. 날 위해서 가것다는데 당신이야말로 웬 고집이 그리 억세다요…. 이제 그 얘기는 그만둡시다."

방 씨의 말이 끝나자 구 씨의 기침이 다시 터져 나왔다. 방 씨가 말을 이었다.

"난 참 행복하다고 안하요…. 홍어를 임금님처럼 떠받들다가, 아들 하나님도 믿다가, 초파일이면 부처님께 공양미도 올리고 기도하고, 크리스마스면 예수님에게 크게 헌금도 하고, 아침저녁으로는 정한수 떠다놓고 조상신 덕에 산다는 것을 한시도 잊은 적이 없으니, 난 저 세상 가서도 무서울 게 하나 없소. 당신은 내 치마꼬리만 꽉 붙들고 따라만 오씨요. 알것소? 내 말 들리요?"

방 씨는 난생처음 와 보는 겨울 바다의 심장을 향해 주저 없이 휠체어를 힘껏 밀었다.

휠체어가 지나가는 뒤로 기차의 레일 자국이 길게 그어졌다. 레일 안쪽 모래밭에 힘주어 밀어붙이는 방 씨의 발자국이 쑥쑥 선명하게 피어났다.

85년간이나 삭힌 방 씨의 몸뚱이가 흰 눈을 뚫고 더듬더듬 갈지(之)자 걸음을 걸었다.

구 씨와 방 씨의 얼굴 위로 함박눈이 쌓여갔다.

하늘을 날던 홍어는 삭고 삭은 냄새를 풍기는 방 씨를 기꺼이 자신의 집으로 모셔 갈 것이다.

휠체어 손잡이에 걸린 검은 봉지가 바닷바람에 요란한 소리를 내며 나부꼈다. 그 소리는 홍어가 퍼덕이는 힘찬 날갯짓 소리였다.

손, 실종 사건

아뿔싸, 이런 경을 칠!

약사 부처님의 왼쪽 손목이 툭 부러지며 연화대 아래로 굴러 떨어졌다. 주불인 석가모니 부처님 오른편에 계시던 목조 부처님이었다. 약사불의 왼쪽 손바닥 위에 올려져 있던 약단지의 약물이 모두 쏟아져버린 것만 같다.

이런 낭패가 있나! 아픈 아내를 의식해 약사 부처님이 들고 있던 약단지 부분을 너무 힘주어 닦았기 때문일까?

불상 청소는 누가 시켜서 한 일은 아니었다. 그저 솔로 털고 마른 수건으로 닦아내기만 해도 탐·진·치 삼독심이 쓸려나가는 기분이었다. 초하룻날 오후만 되면 늘 예불 드리듯 거행하던 혼자만의 의식이었다.

성공 거사는 머릿속이 아득했다. 손목이 떨어져 나간 약사불은 신도님들에게 특별하게 인기가 많던 부처님이었다. 한때 주불로 모셔진 적도 있던 약사 부처님은 치유의 기적을 바라는 신도님들의 서원을 한 몸에 받고 있었다. 떠도는 풍문에 의하면 가피의 신통이 이만저만이 아니었다. 본인 또한 피부병에 시달리는 아내를 위해 얼마나 많은 기도를 올렸던가.

성공 거사는 부처님의 부러진 손목을 들고 어찌할 바를 몰랐다. 노스님이 이 사실을 알았다가는 무슨 일이 벌어질지 모를 일이다. 두려웠다. 부처님의 손과 함께 이 세상에서 휙 사라져버렸으면 싶다.

다행히 아무도 본 사람은 없었다. 거사는 공구함이 있는 창고로 냅다 뛰었다. 순간접착제를 가져오기 위해서였다. 뛰면서도 오만가지 생각이 들었다. 부처님 손만 따로 제작해서 인조인간의 수족처럼 교체를 해볼까? 하지만 세월의 흔적까지 흉내 낼 수는 없을 것이다. 어이구, 큰일은 큰일이다. 일단 소나기는 피해가라고, 부처님 손부터 감쪽같이 붙여놓고 볼 일이었다.

순간접착제의 성능은 좋았다. 하지만 거사는 더는 약사 부처님을 향한 기도가 되지 않았다. 어쩐지 영험함이 사라져버린 것만 같았다. 응급 수술로 급하게 붙여놓은 팔목에만 자꾸 시선이 쏠리고, 약사불 손 위에 올려진 약단지 안에는 이제 장터의 약장수나 파는 싸구려 가짜 약만 들어차 있을 것 만 같다.

약사 부처님도 손목이 잘린 환자가 되어버린 데다가 순간 접착제로 수술까지 잘못 받아 후유증으로 고통스러워하시 는 것 같은데, 누가 누구를 치료해주고 가피를 내려주시겠는 가. 부처님의 얼굴이 안쓰럽고 힘겨워 보였다. 그런 약사불을 향해 아픈 몸을 이끌고 절절하게 기도하는 신도들을 보니 마음이 천근만근이었다.

그 일로부터 10여 개월 후, 약사 부처님의 손이 감쪽같이 사라졌다. 순간접착제로 간신히 붙여놓았던 그 단면 그대로, 칼로 벤 듯 정확히 부처님 손이 떨어져 나가 없어진 것이다.

귀신이 곡할 노릇이었다. 누구보다 놀란 것은 성공 거사였 다. 도둑놈 제 발 저린 심정으로 밤이면 잠이 오지 않았다. 누군가 자신처럼 부처님의 손을 실수로 건드려 다시 부러트 린 것은 아닐까? 자신처럼 죄책감에 시달리며 당황해서 감 추어버린 것은 아닐까?

엄연히 따지자면 애초에 잘못은 거사에게 있었고, 후에 부 처님 손을 다시 부러트린 사람은 애꿎은 누명을 쓰는 꼴이었 다. 부처님 손을 완전히 사라지게 한 사람은 누구일까 몹시 궁금했다.

　절은 발칵 뒤집혔고, CCTV 따위는 노스님의 반대로 설치하지 않았기에 그저 서로가 서로를 의심 섞인 눈으로 바라볼 수밖에 없었다. 공양주 보살 두 분과 염불을 책임지고 있는 청장년 스님 두 분 그리고 동자스님과 노스님. 익명의 등산객들과 부정기적으로 다녀가는 신도들이 물망에 올랐다. 모두가 용의자였지만, 또한 동시에 모두들 무척이나 범인을 잡고 싶어 했다. 기가 찰 노릇이었다.

　성공 거사는 '부처님 손, 실종 사건'만 없었으면 끝까지 입을 다물 작정이었다. 하지만 손이 완전히 사라져버린 이상 더는 시치미를 떼고 있을 수만은 없었다. 할 수 없이 노스님께 고백하기로 마음을 굳혔다.

　"스님, 사라진 부처님 손은 제가… 잘못해서 생긴 일입니다."

　"일없네. 괜히 죄 뒤집어쓰려 하지 말고 가보시게. 옆방에 부처님 손을 삶아 먹으려던 놈이 있으니 구경이나 하고 가시던지"

　거사의 눈이 왕방울만 하게 커졌다. 그 손을 삶아먹다니! 거사는 정신없이 노스님의 방을 나와 옆 방문을 황급히 열어 제꼈다.

거사의 입이 떡! 벌어졌다. 그 방 안에는 사라졌던 부처님의 손을 들고, 두 팔을 하늘로 뻗은 채 벌을 서고 있는 동자승이 있었기 때문이었다.

동자승은 2년 전에 이 절의 식구가 된 칠성이라는 아이였다. 부인과 사별하고 혼자 살던 아버지가 맡겨 놓았다. 칠성이의 아버지는 벌목을 하며 생계를 유지했지만 덜컥 간암이 생긴 후로는 지금은 주거지조차 없이 떠돌아다니는 처지였다.

아이는 머리는 깎았지만 아버지를 쉬이 잊지 못했다. 술만 안 먹으면 부처님보다 더 좋은 아버지였다. 게다가 병에만 걸리지 않았으면 부자의 이별은 없었을 것이라고 굳게 믿고 있었다.

"부처손*이 암에 그렇게 좋다면서?"

"그렇겠지 부처님 손이라는데 효험이 없을 수가 있겠는가. 허허~ 푹 달여 먹으면 간경화에도 끝내준다는구만!"

어느 날 등산객들의 말을 들은 이후로 칠성 스님은 약단지를 든 부처님 손이 다르게 보였다. 항암 효과가 있는 부처손

이라는 약초가 아니라, 연화대 위에 앉아 모든 중생의 병을 낫게 해준다는 신묘한 손을 가진 부처님이 최고의 명약이라고 생각했다.

반신반의 하던 어느 날, 얼핏 TV 화면에 스친 손이 잘린 부처님의 불상을 보고 확신했다. 칠성 스님은 박물관에 관한 도서를 구해 두 눈으로 확인까지 했다. 예상한 대로 많은 수의 불상들은 손이 없었다.

역시 부처님은 위대했다. 아픈 중생들을 살리기 위해 불상으로 화현化現하시어 손을 보시한 것임에 틀림없었다. 어떤 부처님은 머리까지 중생들을 위해 내놓으셨는지 머리가 통째로 없는 부처님도 있었다.

서양 사람들 역시 다르지 않았다. 팔을 삶아 먹었는지 그 유명한 비너스도 팔이 없었다. 부처님이나 비너스나 세계적으로 유명한 데에는 다 이유가 있었던 것이다. 칠성 스님의 얼굴에 미소가 감돌았다. 그들의 몸뚱이가 사람을 살리는 신통력을 가졌는데 어찌 사람들이 좋아하지 않을 수 있단 말인가.

살신성인!

부처님의 손을 달여먹고 병을 치료했다는 사람은 있어도 아직 감옥에 갔다는 사람은 듣지 못했다.

칠성 스님은 부처님의 손이 한 개인 것처럼 보여도 원래는 천수천안을 가진 분이라는 말을 잊지 않았다. 아마도 아픈 중생들을 위해 일부러 손을 천 개씩이나 불편하게 달고 다닌 것은 아닐까?

한 개씩 떼어먹게 하기 위해 달고 다니는 천 개나 되는 손! 그중에 하나 아버지를 위해 달여 먹였다고 해서 그게 그렇게 큰 죄가 될까 싶었다.

달여서 먹고 또 먹어도, 언제가 다시 솟아나시게 할 수 있는 무한한 능력. 그래서 지금까지 수천 년을 떼어 먹고 또 뜯어 먹어도 여전히 천 개의 손이 다 없어지지 않은 것이다. 손을 떼어서 중생을 구제하는 그 한없는 자비심. 칠성 스님은 가슴이 뭉클했다.

노숙자로 떠돌던 아버지가 술김에 전화를 한 날, 칠성 스님은 실행에 옮기기로 결심했다. 아버지는 가까운 시일 내에 찾아가겠노라고 혀 꼬부라진 목소리로 약속했다. 매번 들은 약속이지만, 매번 믿고 싶은 칠성 스님은 무슨 일이 있어도 부처손을 푹 달여 아버지에게 먹일 작정이었다. 어쩌면 지금까지 정성이 부족해서 아버지가 못 온지도 모를 일이다.

칠성 스님이 연화대에 기어올라 약사 부처님의 손을 막 잡은 순간, 놀랄 일이 벌어졌다.

부처님 손이 역시 기다렸다는 듯이 쉽게 툭! 떨어져 칠성 스님의 손에 안긴 것이다. 칠성 스님의 가슴은 방망이질 쳤고, 코끝이 찡했다. 부처님이 자신의 손을 아버지의 약으로 갖다 쓰라고 기적을 보여주신 것이다. 그러지 않고는 그 단단해 보이던 손이 힘없이 떨어져 자신의 품에 안길 리가 없지 않은가!

그날 밤, 물이 끓는 솥단지 앞에 서서 칠성 스님은 부처님 손을 품에 꽉 끌어안고 눈물을 뚝뚝 흘렸다. 부처님은 그 크신 자비심으로 아버지와 자신을 늘 지켜보고 계신 것이었다.

진정 태어나서, 그리고 이 절에 들어온 후로 처음으로 부처님이 존경스러운 순간이었다. 그날, 부처님이 손을 떼어줌으로써 칠성 스님의 가슴에는 부처님이 저벅저벅 걸어 들어오신 것이다. 칠성 스님의 입에서 저절로 '부…처…님'이라는 말이 진심으로 새어나왔다.

어느새 솥단지 앞에서 졸고 있던 칠성 스님의 입에서 비명 소리가 터졌다. 귀가 떨어질 것 같은 통증이었다. 고개를 돌려보니 노스님이 화난 얼굴로 귀를 잡아당기고 계셨다.

"이 녀석이 잠은 안자고 뭘 훔쳐 먹고 있는…."

노스님은 말을 채 끝맺지도 못하고, 칠성 스님 너머에 있
는 솥단지를 보고는 그만 그 자리에 털썩 주저앉고 말았다.

　　펄펄 끓는 솥단지 안에는 부처님 손이 보글보글 물방울을
튀겨내며, 잘 우러나고 있었다.

** 부처손 : 돌 틈에서 자라는 상록 다년생 약초.

엄마, 저 출가해요

네 걸음.

남자가 머무는 공간은 가로 3m 세로 4m의 섬이다. 네 걸음이면 벽을 만난다. 두 평 남짓, 벽을 뚫고 나가기 전까지는 한 걸음도 더 나아갈 수 없다. 일곱 개의 방이 일곱 명의 주인공을 품고 얇은 벽을 경계로 하여 다닥다닥 붙어있지만, 실제로는 빙산처럼 섬이 되어 각각 떠돈다. 무엇을 찾는 것일까.

무문관無門關.

'문이 없는 관문'인 무문관 수행은 장좌불와, 용맹정진과 함께 가장 고통스러운 수행법으로 알려졌다. 남자는 지독한 업을, 고통을 통해서라도 씻어내기 위해 무문관에 입방했다.

99일 전, 바깥에서 주먹만한 자물통으로 문고리를 채우는 철커덕, 소리를 듣는 순간 마음이 편해졌다. 후회는 없다.

'나는 이 자리에서 일체의 깨달음을 얻지 못하면

죽는다 해도 일어나지 않으리라'

6년간의 고행을 끝내고, 보리수 아래 풀을 깔고 앉으며
싯다르타는 다짐했다.

남자는 하루하루가 극락과 지옥을 오가는 중이다.

새벽 3시면 눈을 뜬다. 더 잔다고 탓할 사람은 없다. 하지
만 새벽이면 내 안의 무엇이 눈꺼풀을 밀어 올린다. 어제의
낡은 나태를 혐오하며 새로운 비장한 다짐과 함께 108배를
시작한다. 서원도 싱싱하게 돌아가고, 기혈도 생생하게 느껴
진다.

108배 후, 짧은 포행을 마치고 좌복에 주저앉는다. 새벽
양기는 가슴을 벅차게 한다. 곧 깨달음이 잡힐 것 같은 환희
심이 가슴을 메운다. 부처님에 대한 감사함과 이 길에 대한
확신에 눈물이 날 지경이다.

'성택아 나 결혼한다. 이해해 줄 거지?'

엄마의 목소리가 좌복에 앉아 있는 남자의 귀를 파고든다.
삼십 대 초반의 남자는 열아홉 살 청년으로 돌아가서 머리
를 휘휘 흔든다. 화두는 저만치 달아난다.

오신통을 얻은 마왕 파순은 육신통을 가진 부처보다 한 가지를 더 얻지 못했다. 자재하게 번뇌를 끊는 힘인 누진통이 없었다.

　무심하지 않고 '나'가 앞선 마왕 파순은 다른 특별한 신통력은 모두 가능했지만, 마지막 남은 번뇌의 고통만은 아무리 수행을 해도 소멸시킬 수 없었다.

　남자는 마왕 파순을 떠올린다. 부처와 마왕의 차이는 얇고 가볍다. 마그마가 펄펄 끓는 활화산만큼이나 아찔한 '나'라는 번뇌를 안고 사느냐, 마느냐의 차이다.

　번뇌 없이 깨달음은 없다.

　번뇌를 깔고 앉아 자각으로 돌려세워 화두 길로 들어가는 것만이 살길이다. 하지만 번뇌는 촌치라도 건드리기만 해도 덫이 나려고 씨근덕댄다.

　'네가 세 살 때부터 지금까지 쭉, 고등학교를 졸업하기만을 기다려왔다.
　이제 엄마는 엄마의 길을 갈게. 이해해 줄 거지?'

엄마는 늘 '이해'해 주기를 바랐다.

세 살 때 간암으로 아버지가 돌아가시고 난 후, 엄마 주변에는 늘 하이에나 같은 남자들이 어른거렸다. 너무나 젊고 미인이었던 엄마는 그래도 용케 견뎠다. 어렸던 남자는 엄마가 고통스럽게 견디느라 새어 나오는 비명을 고스란히 들으며 자랐다. 엄마 또한 어렸다. 중생이었다. 고등학교 졸업과 함께 엄마는 부끄러움과 떳떳함이 반반 섞인 목소리로 어린 남자에게 말했다.

'너도 엄마를 이해하리라 믿어. 엄마도 많이 노력했어. 그것만은 알아줘….'

무문관에서 바깥과의 유일한 소통은 하루 한 끼, 일종식의 공양이 전달되는 공양구供養口를 통해서이다. 아침 9시 공양구가 열리고, 남자가 씻어낸 발우를 걷어간다. 그때 필요한 물품이 있으면 메모를 통해 함께 건넨다.

무문관에서는 묵언이 기본이다. 다시 11시가 되면 하루에 한 끼, 유일한 공양이 들어온다. 식탐이 없는 남자지만 세 가지 반찬이 늘 궁금하다. 반찬의 변화와 날씨만이 하루를 살아냈다는 실감을 준다. 공양에 섞여 들어오는 요구르트 한 병이 그렇게 반가울 수가 없다. 어쩌다 라면이라도 들어오는 날은 속가에서 생일을 맞을 때처럼 기분이 벅차다.

공양시간 이외에는 온종일 참선과 네 걸음만이 허용되는 포행이 주를 이룬다. 팔굽혀펴기도 하고, 가끔 경전도 읽지만 늘 보리수나무 아래서 생사를 넘나든 부처님을 떠올린다. 그리하면 용맹심이 다시 솟는다. 수행은 젊어서, 신심이 가득할 때 결딴을 내야 한다는 은사 스님의 말씀이 귀에 쟁쟁하다.

'성택아 엄마 이뻐? 이 옷 너무 야하지 않지?'
엄마는 외출할 때면, 하나뿐인 아들인 성택 앞에서 패션쇼를 한다. 성택이 웃으며 좋다고 하면 엄마는 애인에게 칭찬받은 표정을 하고, 알 수 없는 밤 외출을 했다. 그럴 때면 어린 성택은 하얀 귀신 가면을 쓴 누군가에게 엄마를 뺏긴 것 같은 질투에 세상에는 없는 언어로 꿱꿱 소리를 질렀다.

무문관에서는 익숙했던 모든 것이 새롭게 살아났다. 옆방에서 들리는 지네의 기어 다니는 발자국 소리, 책장 넘기는 소리, 수행자의 방귀와 트림 소리까지 반갑다.
이곳은 말도 할 수 없고, 중병이 아니고는 무엇이든 홀로 견뎌야 한다. 슬픔도 분노도 권태도 스스로 밟아 지뢰처럼 터트려야 한다. 자폭으로 파편이 자신의 몸 곳곳에 쑤셔 박혀도, 함묵해야 한다. 받은 잔은 온전히 빈 잔이 될 때까지 기껍게 마셔야 하는 곳이다.

옷을 거는 횟대, 주전자, 베개, 이불의 바느질 자국, 문고리, 고장 난 자물통, 볼펜, 요강이 새삼스럽다. 익숙하여 보이지 않던 것이 어느 순간 낯설게 보인다. 때로는 이 사물들을 찬찬히 들여다보면 이것을 어디에 쓰는 것인지 도무지 감이 잡히지 않는 지경에 이른다. 어떻게 이런 모양으로 생길 수 있는지, 도대체 이것을 어떻게 그런 용도로 쓰기 위해 만들 생각을 했는지, 그것을 만든 사람들의 놀라운 손길과 마음이 신묘하다. 감탄스럽다.
그런즉, 도무지 알 수 없다.
이 낯선 물건들과 사람들의 마음이….
경계가 싱싱하다.
설렌 가슴에 아지랑이가 피어오른다.

쩡, 어느 순간 다시 물건들은 익숙하고 권태로운 자리로 돌아가 있다.

중생심이 요동치면 당장에라도 소리를 지르고 뛰쳐나가고 싶은 폐소 공포를 느낀다. 그럴 때면 세 뼘 정도의 창문에 얼굴을 붙인다. 바람에 흔들리는 풀, 빗물을 받아내는 함석지붕 소리, 왠지 소멸해 버리고 싶게 하는 노을, 본찰에서 들려오는 환청 같은 종소리, 창문에 눌어붙은 채 죽어 있는 하루살이가 공포를 잊게 한다. 어느새 막연히 저항하고 있던 마음이 찰나의 이 순간에 깨어 있다.

　　'엄마, 저 출가해요. 행복을 빌게요. 그리고 엄마를 이해해요.'
　　출가하기 전날, 마지막으로 본 엄마에게 말했다.
　　'하필… 왜…'
　　늘 이해를 바랐던 엄마는 '하필'이라는 말과 함께 정작 아들을 '이해'하지 못하겠다는 표정을 지었다.

　　남자는 오늘도 좌복에 앉는다.
　　일어서면 네 걸음을 걷고 벽을 만난다.
　　엄마와 함께했던 세상에서도 몇 걸음 못 가 낭떠러지 앞에 서고는 했다.
　　'백척간두 진일보百尺竿頭進一步'가 경전 속에 나오는 글자로 '이해'해야 할지, 오늘도 요구르트를 기다리는 수행자지만, 함석지붕을 때리는 빗물 소리에 성큼 한 걸음으로 '경험'을 통해 증득하게 될지는 누구도 모른다.

문이 없는 관문이다.

엄마를 진심으로 만나는 길에도, 깨달음을 위한 길에도 문은 없다.

묻지 않는 질문이다.

무문관 12칙. 암환주인巖喚主人

서암 사언 선사는 매일 자기 자신을 '주인공!' 하고 부르고서는 다시 스스로 '예!'하고 대답했다. 그리고는 '정신 차리고, 깨어 있는가!' 말하고는 스스로 '예!'하고 대답했다.

예?

넋두리

1,000배를 마친 남자가 땀을 뻘뻘 흘렸다. 숨을 몰아쉬며 달력에 동그라미를 쳤다. 붉은 동그라미 안에 100이라는 숫자를 써넣었다. 남자는 붉은 동그라미 안에 숫자를 보며 손톱을 잘근잘근 물어뜯었다. 손톱 밑으로 붉은 살이 드러났다.

"알았어 알아, 이제 이 버릇 고친다니까!"

눈을 부라리는 아내를 본 남자는 금세 주눅이 들었다.

또깍 또깍, 철 지난 6월 6일자 신문 위로 남편의 손톱이 잘려나갔다.

"난 당신이 내 손톱을 깎아주고, 귀지를 파 줄 때가 젤로 좋더라!"

남편은 아내의 무릎에 냉큼 머리를 뉘었다.

"손톱 물어뜯는 버릇 그거 아들이 따라 한다고 그랬잖아!"

귀지를 후비던 아내가 남편을 흘겨보며 말했다.

"아이구~ 토씨 하나 안 바뀌는 그눔의 잔소리는!"

남자는 귀를 막는 시늉을 하며 고개를 절레절레 흔들었다.

그때였다. 국카스텐이 부른 '넋두리'가 거실에 찰랑찰랑 흘러넘쳤다. 아내의 휴대폰 벨 소리였다. 아내는 꿈쩍 않고 휴대폰을 뚫어지게 바라보았다.

쓸쓸한 거리에 나 홀로 앉아서 바람의 떨리는 소리를 들었지

어디서 왔다가 어디로 가는지 설레이는 이 내 마음이여 ♩
♫

"장모님인데 왜, 전화를 안 받아?"

아내의 휴대폰 액정을 힐끗 본 남자가 아내를 타박했다. 남편이 대신 아내의 휴대폰을 들었다. 수화기에서 장모님의 목쉰 소리가 꺼억꺼억 쏟아져 나왔다.

"자네, 아직도 인가?"

"네? 무슨 말씀인지… 영후 엄마 옆에 있는데 바꿔드려요?"

"이 사람아, 제발 좀 정신 차려! 이 전화 없애라고 했잖은가. 혹시나 해서 전화했드니만… 자네 정말 왜 이러나…. 오

늘이 영후 엄마 49재잖아. 자네가 나보다 더 걱정이네… 아이구!"

남자는 휴대폰을 닫고 아내에게 고개를 갸우뚱해 보였다.

"자기 어머니 증말 입원시켜드려야겠다. 작년에 깜박깜박하실 때 알아챘어야 하는 건데!"

남자는 다시 손톱을 이빨로 물어뜯었다.

"또! 또! 또! 손톱! 영후까지 배운다 그랬잖아!"

그때 거친 문소리가 남자의 고막을 때렸다. 영후였다. 저 정도 급한 문소리면 영후의 배가 몹시 고프다는 뜻이다. 라면 2개와 그 국물에 식은 밥 한 사발, 입가심으로 치킨 반 마리 정도는 날름 삼켜버릴 상태.

"엄마, 나 라면!"

아들 영후는 엄마의 어깨를 주무르면서 어리광을 부렸다. 아내는 라면을 끓여주면서 영후에게 잔소리를 해댔다.

"흐이그~ 살찐다고 다이어트를 하네 어쩌네 하면서 그놈의 라면 하나 못 끊어서! 이런 남자를 이담에 어떤 여자가 밥 차려 주고 싶어 하려나!"

엄마의 잔소리에 어느새 영후도 아빠처럼 손톱을 물어뜯고 있었다. 남자는 깜짝 놀라 아내가 볼세라 아들에게 눈짓 손짓해가며 손톱을 물어뜯지 말라는 시늉을 했다.

"하이구~ 이노무 두 남자 때문에 내가 몬 산다 몬 살어!"

아내의 잔소리를 반찬 삼아 영후는 엄마가 끓여준 라면을 게걸스럽게 삼켰다. 고개 숙여 라면을 먹는 영후의 머리통을 흐뭇하게 바라보는 아내의 표정. 아무도 개입할 수 없는 아들과 아내, 그 둘만의 실랑이를 남자는 그윽하게 바라보았다. 너무 사소하고, 닳도록 흔하게 보아서 벽에 걸린 액자처럼 있어도 실감 못했던 익숙한 풍경.

그때 다시, 휴대폰에서 '넋두리'가 울려 퍼졌다.

아내와 영후는 정물화처럼 동작을 멈추었고, 남편은 발작적으로 손톱을 물어뜯었다.

장모님의 전화였다.

"자네 오늘 어떻게 할 텐가. 영후 에미 49재에 참석할 건가? 아니면 나하고 우리 식구끼리만 절에 갔다 올까. 어쩔 것이여?"

"어머니… 왜 그러세요. 지금 영후 엄마 옆에 있어요. 영후에게 라면도 지금 막 끓여줬다니까요?"

남자는 장모님이 답답해서 미칠 지경이었다.

"… 그 라면… 누가… 먹었는가?"

"영후가요! 그것도 두 개씩이나 먹고 식은 밥까지 말아 먹었다니까요!"

"……"

수화기에서 한동안 말이 없더니 통화가 툭 끊겼다.

"영후야, 할머니가 자꾸 이상한 말씀을 하신다?"

남자의 하소연에 영후는 말 대신 씨익 웃음으로 대신했다. 애비보다 훨씬 넉넉한 웃음을 가진 진짜 사내다운 놈의 미소였다. 어릴 때부터 속이 깊어 아무리 힘들어도 내색 한번 하지 않고, 용돈 주는 것을 깜빡 잊으면 달라는 말 대신 몇 날 며칠을 굶어버리고 마는 놈이었다. 필요한 것을 먼저 요구할 줄도 모르던 곰.

아내가 남자의 손을 잡아끌었다. 전기밥솥 앞이었다. 입력 취사/백미쾌속이라고 쓰인 버튼을 누르라고 눈짓을 했다. 컴맹이 처음 컴퓨터를 다루는 것처럼 남자는 주저주저했다. 아내가 남자의 손가락을 휘어잡고 단호하게 취사 버튼을 꾹 눌렀다. 부끄럽지만 남자는 아직 밥이라고는 해 본 적이 없다. 그뿐인가. 세탁기 한 번 돌려본 적도 없다. 아내는 설거지 개수대 위 싱크대 선반을 하나씩 하나씩 열어 그 속의 물건들을 일일이 보여주었다.

참기름병, 식용유병, 참깨, 계피 가루 그리고 된장이 든 옹기까지. 그리고는 남자의 등을 밀어 장롱 서랍 앞에 세웠다.

서랍을 하나씩 하나씩 열어 여름옷과 겨울옷의 위치를 가르쳐주었다. 남자는 아주 심하게 손톱을 물어뜯었다. 검지의 살은 더 패이고, 피는 더욱 진하게 배어 나왔다.

아내가 이번에는 영후의 손을 잡아끌었다. 또각 또각, 6월 6일자 신문지 위에다 영후의 손톱을 깎았다. 아내의 행동을 지켜보던 남자는 견딜 수 없이 싸아~해진 분위기를 바꾸려고, 아내가 좋아하던 '넋두리'라는 노래를 불러제꼈다.

멀리로 떠나는 내 님의 뒷모습 깨어진 꿈이었나 힘없는 내 발길에 다가선 님의 모습
인생을 몰랐던 나의 길고 긴 세월 갈 테면 가라지 그렇게 힘이 들면 ♬

아내는 능숙한 솜씨로 영후의 곰 발바닥처럼 큰 발을 붙들어 허벅지 위에 올려놓고는, 아들의 발톱을 깎았다. 영후는 연신 하품을 쩍쩍하면서 엄마가 서비스해주는 입시공화국 고딩의 특권을 만끽하는 모습이었다.

현관의 초인종 소리가 요란했다.
남자는 눈에 졸음이 가득한 영후와 졸린 아들의 발톱을

골똘하게 깎아주고 있는 아내에게서 눈을 떼지 않았다. 이대로 세상이 멈춘다 해도 아무런 미련도, 회한도 남을 것 같지 않았다. 이대로 핵폭탄이 터져 번쩍하는 불빛과 함께 세상이 종(終) 해버려도 좋을 것 같다.

폭탄 소리인가?

쿵! 하는 소리와 함께 전문 열쇠기술자가 문을 따고, 장모님과 함께 여러 사람이 쏟아져 들어 왔다.

사람들이 커튼을 걷고 창문을 열자, 집안은 온통 벼락을 맞은 집처럼 난장판이었다. 찢어진 신문기사 쪼가리, 곰팡이가 잔뜩 핀 개수대, 주방과 장롱의 그릇과 옷가지들이 온통 흩어져 있었다. 의식주가 여기저기 구토를 해놓은 형상이었다.

"이제 그만 보내주게… 영후 에미 이제 그만 놓아주란 말일세… 영후가 혼자 가는 것이 너무 외로울까 봐서 못난 지 에미가 함께 가주지 않았는가… 영후 걱정은 하지 말세…."

남자는 바람에 팔랑대는 6월 6일자 신문만 노려보았다.

신문지 위에 영후의 발톱이 바람에 휙, 날아가 버릴까봐 조바심이 났다.

저 고운 발톱, 입에 넣고 꼭꼭 씹어 심장에 담아두고 싶은 저 발톱….

"영후 아버지! 영후도 놓아주세요. 오늘이면 100일쨉니다. 우리도 영후 아버님과 똑같은 심정입니다. 우리 부모들이 아직 할 일이 많이 남아 있지 않습니까. 아이들이 왜 그렇게 죽어야 했는지 우리가 꼭 밝혀야 합니다. 이 아이들이 오들오들 추워 떨며 이놈의 세상을 떠돌지 않게 하려면 우리가 나서야 합니다. 네? 영후 아버지…"

영후와 함께 목숨을 잃은 아이들을 자식으로 둔 부모들이었다. 그들의 탄식하는 넋두리가 남자의 가슴을 파고들었다. 남자는 피가 솟아 나오는 손톱을 다시 정신없이 물어뜯었다.

손가락 열 마디 피가 배어 나오지 않는 손가락이 없었다.
사체를 인양했을 때 본 영후의 너덜거리는 손가락이었다.

치치치~ 치치지익~ 전기밥솥에서 밥이 익어가는 소리만 남자의 귀를 울렸다.

새 발의 피

　개똥이었다.

　천변사 대웅전 앞, 큰 마당에 한 무더기 개똥이 푸짐하게 자리하고 있었다. 벌써 며칠째 그 자리 그대로였다. 절집의 그 누구도 개똥 가까이 가려 하지 않았다.

　사실 개똥을 치워야 할 의무는 천변사 신도거나 직원이거나 허드렛일을 하는 일당벌이 일꾼, 그 누구에게나 있지만, 또한 그 누구도 치우려 하지 않았다. 어떤 한 사람을 은연중에 기다리고 있었기 때문이었다.

　천변사가 인정하는 개똥을 치울 적임자는 탁거사였다. 처음부터 탁거사가 개똥 치울 적역은 아니었다. 하지만 탁거사가 쓰레기장의 분리수거를 도맡아하고, 천변사에서 가장 더럽고 난처한 밑바닥 일을 도맡아 하는 통에 사람들은 탁거사를 자연스럽게 떠올리게 된 것이다. 탁거사는 개똥을 포함한 모든 오물과 천변사 주변을 떠도는 30마리 도둑고양이의 썩어가는 시체까지 도맡아 치워야 했다.

눈 뜨고 볼 수 없는 모든 더러움이 눈앞에 나타나는 즉시, 절집의 직원이거나 스님이거나 신도들은 어김없이 탁거사를 떠올린다. 하지만 요즘 칠순의 탁거사의 심기가 편치 않다. 하루가 다르게 체력이 떨어져 가는데다가 얼마 전, 초하룻날 올라온 시주물 중에서 초코파이 한 상자를 아는 보살에게 주었다는 이유로 시주물 창고담당 왕계장에게 차마 듣지 못할 소리를 들었기 때문이었다. 생각할수록 서운하고 울화가 치미는 일이었다.

"탁거사님. 치워야 할 개똥은 안 치우고 초코파이로 여신도 관리하십니까?"

"왜? 개똥 치우는 사람은 신도 관리 좀 하면 안 되남? 나도 천변사에서만 20년인데 팔이 안으로 굽는 신도 하나 없을라고!"

나이도 한참 어린 왕계장의 말에 탁거사도 핏대를 세웠다. 사실 탁거사는 시주물 창고의 열쇠를 쥐고 있는 왕계장에게 할 말이 많았다.

왕계장은 시주금을 제외한 모든 공양물의 출납을 담당하는 일을 맡고 있었다. 공양미와 생수, 초, 미역, 국수에 각종 음료와 과자 그리고 절에 필요한 비품까지 모조리 왕계장의 감독 아래 집행되었다.

그런 왕계장에게 집착이 하나 있었다. 초코파이에 대한 병적인 집착. 왕계장은 유난히 초코파이만은 철저하게 챙겼다. 다른 공양물들은 마치 사유물처럼 자신에게 잘 보이거나 마음에 드는 사람에게 턱턱 잘도 내주면서 유독 초코파이만은 슬하의 자식처럼 움켜쥐고 내놓질 않았다. 그러다 보니 다른 사람들도 덩달아 공양물 중에 초코파이에 더욱 눈독을 들였다. 그 와중에 탁거사가 초코파이를 빼돌려 다른 신도에게 주는 것을 왕계장이 목격하고 독설을 날렸던 것이다.

　"왕계장이 말여. 공양물을 제 주머니에서 꺼내 쓰대끼 지 맘대로 하믄서 내가 그깟 초코파이 하나 챙겼다고, 신도 관리를 하네 어쩌네 함시롱 무안을 주고 난리를 떠네! 지에 비하면 난 정말 새 발의 핀데 말여!"

　탁거사는 만나는 사람마다 푸념했다. 그리고는 자신의 가치를 증명하기 위해서 오랜만에 태업에 나섰다. 쓰레기장은 관리했지만 대웅전 마당 한가운데 있는 개똥만큼은 못 본 척했다. 개똥을 발견한 신도들이나 직원들은 시간이 지나면서 왕계장을 탓했다. 탁거사는 왕계장의 지시를 받는 위치였기 때문이었다.

　왕계장이 한풀 꺾여 탁거사에게 말했다.

1막 봄,

"내가 공양물을 사사로이 쓴다고 탁거사님이 뭐라 한담서요? 내가 탁거사님에게 좀 험하게 말한 것은 그날 주지 스님에게 개똥 안 치운다고 욕을 먹고 욱하는 기분에 화풀이 좀한 거 아닙니까. 그리고 솔직히 주지 스님도 나한테 그러면 안 되지. 사실 주지 스님에 비하면 나는 새 발의 피 아니요? 절집 내부 공사만 열댓 개를 일으켜서 해드신 게 얼만데… 그에 비하면 나야 겨우… 어휴~ 말을 말아야지…."

새 발의 피!

탁거사가 20년간 천변사에 있으면서 자주 들었던 말이었다. 누구를 기준으로 하는 말인지는 주지 스님들만이 알 일이었지만, 한결같이 자주 쓰던 표현이었다. 물론 어느 결에 왕계장과 탁거사도 주지 스님들의 말투를 따라 배운 것이다.

왕계장의 회유에도 탁거사는 개똥을 치우지 않았다. 왕계장 또한 자신이 개똥을 치우면 탁거사가 버릇이 잘못 든다고 꼼짝하지 않았다. 그 대신 총무부 직원들에게 아끼던 초코파이 다섯 상자를 갖다 주며 개똥을 치우는 게 어떻겠냐고 제의했다. 총무부 직원들은 마지못해 그 제의를 받아들이는 척했다. 하지만 며칠이 지나도 개똥은 꿈쩍 않고 그 자리를 지키고 있었다. 왕계장이 따져 물으니, 초코파이를 다시 돌려주며 총무부 직원이 말했다.

"다른 부서들도 많은데 우리 총무부만 힘없다고 막 보고 그런 부탁을 한 거 아니냐는 내부 의견이 있었습니다. 개똥을 치운다는 것은 전체 종무소의 위신에도 맞지 않습니다. 각 부서 간의 일은 정확해야 나중에 뒷말이 없지 않겠습니까?"

총무부 대표의 말에 왕계장이 물었다.

"그럼 개똥 치우는 것은 어떤 부서의 소관입니까? 나야 공양물 관리인데 엄밀히 말하면 내 책임도 아니란 말씀입니다. 지금까지 관행적으로 탁거사가 했을 뿐이지요. 이건 총무부 밑에 관리계의 일인 것 같은데 참 답답하네요."

"무슨 말씀입니까? 개똥을 관리계에서 왜 치워요. 지금까지 해오던 대로 왕계장님이 책임지셔야죠!"

대웅전 앞, 개똥은 점점 검은색으로 변해가며 단단하게 굳어갔다.

이제 천변사에서는 누구도 개똥을 치울 수가 없었다.

치운 사람이 그간의 분쟁 주역이었거나 제일 약자임을 시인하는 꼴이 되기 때문이었다. 개똥이 치워지지 않자 드디어

주지 스님의 분노가 터졌다.

"차라리 이 개똥을 치우지 말고, 그대로 놔두세요! 화석이 되게 해서 두고두고 이 개똥을 보며 우리 모두 참회합시다. 날마다 이 개똥을 보며 부처님이라고 생각하고, 각 부서 간의 이기주의도 반성합시다. 차라리 이번 기회를 개과천선하는 계기로 삼읍시다!"

화가 난 주지 스님은 관리계에 명령하여 차라리 개똥을 보존할 궁리를 찾아보라고 했다. 그 말을 전해들은 사람들은 주지 스님의 역발상에 감동했고, 개똥을 부처로 보자는 말에 눈물까지 글썽였다. 관리계는 긴급회의를 열어 주지 스님의 바람대로 개똥을 화석처리 할 수 있는 방안을 연구했다.

그날 밤이었다. 천변사에는 밤새 소나기가 퍼붓듯 쏟아져 내렸다. 관리계 직원들은 개똥이 다 풀어져 흩어질까 노심초사했다. 천변사만의 특별한 스토리, '개똥 부처님'이라는 전설이 탄생하려는 순간이었는데 하늘이 무심한 꼴이었다.

다음 날 아침, 천변사 사람들의 안간힘에도 불구하고 부처님은 끝내 흩어져 버리고 말았다. 주지 스님이 다시 일장 훈시를 했다.

"우리가 개똥 하나에도 중생심에 젖어 이기적인 모습을 보인 것을 아시고, 부처님이 인연이 다한 개똥을 흩어지게 했습니다. 영원한 무의 세계로 화한 것입니다. 이로써 개똥 부처님 문제는 공^空의 도리를 보여주고 완전히 해결됐습니다!"

주지 스님 이하 직원들이 개똥이 있던 자리를 향해 합장 반 배를 했다.

그때였다. 합장 반 배를 받으며 유유히 걸어오는 그림자가 있었다. 개똥이 있던 자리 너머로 덩치 큰 황구가 천변사 사람들의 시야에 잡혔다. 배가 늘어진 황구는 만사가 귀찮다는 듯이 어슬렁거리며 다가왔다.

"저…저 놈이 싼 놈이구만!"

탁거사가 소리 높여 외쳤다.

"누가 저 개시키를 내쫓을 사람 없어요?"

남자 직원들이 황구를 향해 소리를 치고, 겁을 주었으나 황구는 아랑곳하지 않았다. 황구는 태연하게 대웅전 앞마당 개똥이 있던 자리를 킁킁 냄새 맡더니, 이내 엉거주춤한 자세를 취했다. 볼일을 보려는 모양이었다.

"안 돼!"

직원들의 고함이 터져 나왔다. 그때 왕계장이 소리치며 사람들 앞으로 나섰다.

"저에게 맡겨 주세요!"

왕계장의 손에는 초코파이가 들려있었다. 왕계장은 초코파이를 황구의 코에 들이대며 유인하기 시작했다. 황구는 초코파이를 낼름 핥아가며 왕계장을 쫓았다. 주위에 있던 사람들이 감탄의 탄성과 함께 왕계장에게 박수를 보냈다.

왕계장의 얼굴에 흡족한 미소가 피어났다.

"공양물은 이럴 때 쓰라고 있는 거지…내 깊은 속도 모름서…."

황구는 아주 달게 초코파이를 핥으며 씰룩이는 왕계장의 엉덩이를 따라갔다. 하지만 몇 걸음 못 가 황구가 멈추어 섰다.

이 정도 초코파이 하나로는 새 발의 피라고 생각했는지,
자신의 똥이 있던 부처의 자리를 자꾸만 돌아다보았다.

나는 엄마가 아닙니다

몹쓸 소문이었다.

정선 댁의 귀에까지 그 소문은 이미 들어와 있었다. 나쁜 소문은 날아가고 좋은 소문은 기어간다더니 그 말이 틀린 말이 아니었다.

정선 댁이 처음 그 소문을 들었을 때 그저 그러다 말겠거니 했다. 그런데 소문은 점점 더 빠르게 각색되어갔다. 눈물 없이 들을 수 없는 신파 드라마의 여주인공이 되었다가 또 어떤 버전에서는 정선 댁을 남자를 잡아먹는 요부로 만들어 놓기도 했다.

뚱뚱한 정선 댁이 공양간에 퍼질러 앉아 쑥을 다듬으며 드는 생각은 세 사람만 우겨대면 없는 호랑이도 별 수 없이 살아 돌아다닐 수밖에 없겠구나 하는 것이었다.

공양주 정선 댁이 이 절에 처음 온 것이 벌써 2년 전이다. 그때 진수 나이가 세 살이었다. 정선 댁이 들어오기 1년 전에 이미 들어와 있던 진수는 그 어린 나이에도 빛이 있었다. 사망한 아버지의 빚이었다. 빚 상속을 포기했어야 했는데 미처 하지 못해 빚쟁이 아이가 된 것이다. 주지 스님이 부랴부랴 사회복지사를 통해 파산 면책을 받아 겨우 빚쟁이 신세를 면할 수 있었다. 참 팔자도 기구한 아이구나 싶었다.

어려서 부모와 헤어졌기 때문인지 진수는 밤이면 야제증에 시달렸다. 밤새 서너 번은 깨서 자지러지게 울었다. 노공 양주와 함께 셋이서 잠을 자지만, 언제나 우는 진수를 달래 주어야 할 사람은 정선 댁이었다. 정선 댁이 아이를 달래는 비법은 진수를 목욕시켜 주는 일이었다. 야들야들한 몸뚱이를 구석구석 닦아 큰 타월로 미라처럼 감아놓으면, 거짓말처럼 더는 깨지 않고 잠이 들었다.

목욕을 시켜주면서도 아기 한 번 낳아보지 못한 자신이 무슨 팔자인가 싶었다. 젊어서부터 스님이 되려는 생각에 결혼은 생각도 해보지 않았던 정선 댁이었다. 젊어서는 동생들 학비 뒷바라지를 하며 그냥저냥 세월을 보냈고, 어느새 나이가 들어 한숨 돌리려던 때는 아버지가 말기 암 판정을 받는 바람에 병 수발로 또 한세월을 보내야 했다.

정선 댁이 정신이 들었을 때는 나이는 이미 후반전이었고, 몸매는 약간 다이어트 된 포대화상이 되어 있었다. 이제는 내 인생을 찾아야지 했지만, 출가할 엄두는 내지 못했다. 이

번 생은 복 짓는 일로 마무리해야겠다고 마음을 정리했다. 그리고 찾아든 곳이 이곳 미륵사였다.

부처님이 마냥 좋았고, 향냄새는 아련했고, 풍경소리에 눈물이 번지고, 새소리가 극락 같았다. 전생에 무슨 인연이었는지 젊어서부터 절만 오면 일주문 바깥으로 나가기가 싫었다. 그냥 요사채에서 천년만년 망부석처럼 살았으면 하는 마음뿐이었다.

모아둔 것은 없어도 평생 남에게 베풀려는 정성과 청정한 몸과 마음이 자부심이라면 자부심이었다. 여자 포대화상이라는 말도 괜히 붙은 별명이 아니었다. 그런데 갑자기 무슨 마가 낀 건지 말년에 이런 괴이한 소문에 시달리게 된 것이다.

미륵사에 퍼진 소문의 첫 번째 버전은 '진수 아버지와 눈이 맞아 진수를 낳고, 애 아버지가 세상을 떠나자 진수를 미륵사에 먼저 데려다 놓고, 1년 뒤에 공양주가 되어 찾아온 것'이라는 소문이었다.

그야말로 펄쩍 뛸 노릇이었다. 하지만 그런 소문도 전혀 근거가 없지는 않았다. 진수가 정선 댁의 둥글고 너부죽한 얼굴 분위기를 똑 닮은데다 누구에게도 하지 않던 엄마라는 소리를 정선 댁에게만은 스스럼없이 한다는 것이었다.

정선 댁은 억울했다. 평생 남에게 물 한 방울 튀기지 않고 살아왔다. 그런데 다른 오해도 아닌 몰래 아이를 낳아서 그것도 부처님 도량에 버렸다는 것이다. 말이 돼야 대꾸를 할 것 아닌가. 그래도 사람들의 입은 무서웠다. 정선 댁은 헛소문이 싫어 낮이면 은근슬쩍 진수를 피해 다닐 수밖에 없었다.

철없는 진수가 엄마~라고 부르면 차마 어린 것의 입을 틀어막을 수는 없는 일이었다. 정선 댁의 대처 방식은 엄마를 찾는 진수를 외면하고 자나 깨나 천수다라니를 독송하는 방법뿐이었다.

"나모라 다나다라 야야 나막알야~"

영문을 모르는 진수는 공양주 엄마가 장난을 치는 줄 알고, 짧은 다리를 오종종 움직여 정선 댁의 얼굴 앞에 얼굴을 들이밀고 천수경을 그대로 따라 했다.

"나모라 다나다라 야야야야~"

진수는 정선 댁이 피할수록 더욱 졸졸 따라다녔다. '엄마'라는, 진수에게는 낯선 단어를 다라니나 되는 양 외치고 다녔다. 보살들이 킥킥대면 신이 나서 진수의 염불 소리는 더 커졌다.

1막 봄,

"나모다 옴마야야야야~"

두 번째 소문은 '어느 학승과 피치 못할 러브스토리 끝에 태어난 아이'라는 설이었다. 그것은 정선 댁이 강원도 정선 어느 절 밑에서 민박집을 운영할 때, 거기서 사법고시를 공부하던 한 남자가 인생의 목표를 법관이 아니라 스님으로 바꾸면서 벌어진 일로 알려졌다. 그 학승이 정선 댁을 연모하여 씨 하나를 남기고 입산해버렸다는 소문이었다. 그래서 정선 댁이 그 스님의 거처는 찾지 못하고 절로만 절로만 떠돌며, 공양주 생활로 아픔을 삭인다는 내용이었다. 비운의 여주인공이었다.

정선 댁이 이 버전의 소문을 들었을 때는 웃음이 나왔다. 자기같이 포대화상 같은 여자에게 이 무슨 과분한 러브스토리인가 싶었다. 하지만 소문은 그래서 소문인 것이다.

정선 댁은 돌아보았다. 왜 그런 소문이 생겨나게 되었는지… 돌이켜보면 참 인생을 자신의 별명처럼 포대화상처럼 살았다는 생각이 들었다. 포대화상은 풍만한 살집과 편안하게 흐트러진 자세, 게다가 어떤 말을 해도 너그러운 웃음을 지닌 스님이었다.

정선 댁 또한 남에게 싫은 소리 한 번 못했고, 동생들과 부모님의 뒷바라지를 당연하게 여기며 살았다. 남이 아프고 힘들어하는 꼴을 보면 차라리 자기 몸이 부서지고, 속이 문드러지는 게 편했다. 그러나 자비라고 이름 붙이기에는 어울리지 않았다. 왜냐하면, 남모르게 자기 속은 상했기 때문이었다. 차라리 바보라고 하는 게 더 가까울 수 있었다. 이런 심성을 고쳐보려 했지만 불가능이었다. 타고나기를 그렇게 타고났고, 때로 똑똑한 척 굴어보았지만, 오히려 두고두고 마음이 쓰여서 몇 날 며칠 더 괴롭기만 했다.

그래도 이번 경우는 여자로서 쉽게 용납하기 어려웠다. 아기를 낳았다는 소문은 여자로서 마지막 근본을 뒤집는 일이었다. 자신은 큰스님이 아니라 평범한 공양주일 뿐이다. 설사 아무리 큰스님일지라도 직접 겪어보면 평정심은 저만치 달아나버릴 거라고 생각했다.

그러던 어느 날이었다. 그날은 일 년 중 가장 바쁘고 환희로운 부처님 오신 날이었다. 절 식구들은 발바닥에 불이 붙은 것처럼 분주했다. 법요식이 끝나고 신도들은 관불식을 하는 곳으로 모여들었다. 관불식은 표주박으로 감로수를 떠서 아기 부처님을 목욕시키는 의식이다. 그날 오전에만 진수는 아기 부처님 목욕을 열 번도 넘게 시켜드렸다. 아기 부처님 머리끝에 물을 부어주고 나서는 또다시 그 줄의 맨 끝에 가서 다시 줄을 서는 일을 되풀이했다.

바쁜 노보살과 정선 댁은 차라리 복잡한 절 마당을 돌아다니며 방해되는 것보다 아기 부처님 곁에만 머물러 있는 게 낫다고 생각했다. 부처님 오신 날은 그야말로 야단법석인 하루였다. 그날 밤, 너무 피곤했던 공양주 보살들은 미처 진수를 챙길 새도 없이 각자 쓰러져 잠이 들었다.

다음 날 아침, 늦잠 끝에 눈을 뜬 정선 댁은 보았다. 희끄무레한 창문으로 들어온 햇살에 얼비친, 발끝 귀퉁이에서 잠들어 있는 진수의 모습을….

진수는 언제 빼 왔는지 모르지만, 어제 오전 내내 목욕을 시켜주었던 아기 부처님을 꼭 끌어안고 있었다. 자기의 팔뚝만한 아기부처님은 미라처럼 흰 타월에 칭칭 감긴 채였다.

'지 까짓 게 뭔데…저런 잔망을 떨어…'

진수를 보던 정선 댁은 울컥 목울대가 아려왔다. 가슴 어딘가에 막혀 있던 체기를 내리려는 사람처럼 주먹을 쥐어 가슴을 탁탁 쳐댔다.

정선 댁은 진수를 넋 놓고 바라보았다. 부처님이 자신보다 철이 없게 보였는지 여러 번 목욕을 시킨 것도 모자라 맨살의 몸뚱이를 타월로 꽁꽁 싸매놓았다. 걱정해주는 손 맵시가 부처의 형님이었다.

　정선 댁은 콧물을 훌쩍이며 생각했다.

　세상은 남자 한번 안아보지 못한 여자가 아이를 낳고, 빚쟁이가 될 수 없는 아이에게 빚을 안기는 곳이었다. 그래서 부처님의 천수천안이 그리운 것이다.

　정선 댁은 시계를 보더니 화들짝 놀라 몸을 일으켰다. 늦잠을 탓하며 허겁지겁 요사채 문턱을 넘었다. 고개를 돌려 다시 한 번 진수를 바라보았다.

　엉키어 자는 동생 부처와 형님인 진수.

　두 형제가 시선에 잡혔을 때, 밀물 같은 생각이 속절없이 가슴을 적셨다.

　한 뚱뚱한 여자가 한때 빚쟁이였던 한 아이의 손과 발이 되어 주는 것이 숨길 일이 아니라고….

　어떤 말이든 소문은 강물 위의 낙엽과 같아서 제 닿을만한 곳에 닿으면, 또 이내 어딘가로 흘러가 버리게 마련이라고….

‘부처님 오신 날’이 만들어놓은 산처럼 쌓인 공양간 설거지 통 앞에서, 포대화상은 밀물 같은 생각에 빠져 그렇게 파도를 타고 있었다.

2막 여름,

마음이 나이만큼
안 늙어서

마음이 나이만큼 안 늙어서

명순은 끝내 접시를 떨어트리고 말았다.

챙강~ 소리는 컸다.

평소 적막한 집이라 그 소리는 우레처럼 크게 들렸다. 하지만 베란다 창밖만 바라보던 남편은 힐끔 고개를 돌렸을 뿐, 어디 다친 데는 없느냐는 상투적인 말 한마디 없었다. 남편은 이내 자신의 상념으로 다시 빠져들었다.

섭섭했다. 사십 년을 함께 한 남편이었다.

오늘 아침, 남편은 한 통의 전화를 받았다. 남편의 안색은 눈에 띄게 어두워졌고, 딱 한마디를 했을 뿐이다.

"바로 가보겠습니다."

전화를 끊은 남편은 다리를 심하게 떨며, 실내에서 피우지 않던 담배를 연신 피워댔다.

"누군데요?"

명순이 물었다.

"라면 끓여준 여자."

남편은 아무렇지도 않게 대답했다.

명순은 무슨 말인지 도무지 이해할 수가 없었다.

"누가 라면을 끓여줘요?"

"혜숙이… 혜숙이가 끓여줬어… 라면을…. 그런데 지금 호스피스 병원에 있대…. 오늘내일 한다고 그러네… 아들 말이…."

명순은 정신이 반쯤 나간 것처럼 보이는 남편과 라면이라는 단어가 물과 기름처럼 연결이 되지 않았다.

"혜숙이가 누군데요?"

남편은 여전히 명순의 눈도 보지 않고, 혼잣말처럼 중얼거렸다.

"죽으면 안 되는데… 불쌍한 앤데… 이 좋은 세상에 왜 벌써 가려고 그래…."

남편은 깊은 바닷속처럼 침울했다. 담배를 빠는 손이 떨리기까지 했다.

"글쎄 혜숙이가 누구냐니까요?"

"내가 당신에게 말 안 했나? 내가 고등학생 때… 아버지는 일찍 돌아가시고… 어머니는 그때 재혼하신다는 말이 나왔을 때거든… 세상에 나 혼자 남는 것 같아서… 그때 정말 살기 싫더라고… 진짜 죽어 버리려고 마음먹었는데… 이상하게 마지막으로 누군가는 보고 가야 할 것 같았어… 그게 혜숙이었어. 그래서 그 아이 집을 찾아간 거야. 그날 눈이 펑펑 오는데… 그 아이 집 앞 계단에 앉아있었지… 그 아이는 가로등이 켜지고 한참 뒤에나 집에 들어오더라고…."

남편은 지금 그 계단에 앉아있었다.

"그 아이가 내 마음을 읽었는지… 나를 한참 보더니 아무 것도 묻지 않고 라면만 한 냄비 끓여가지고 나왔어… 그때 얼마나 귀했는데… 그게… 삼양라면 말이야… 난생처음 본 신기한 음식이었지… 가로등 아래로는 함박눈이 펑펑 쏟아지고, 나는 그 뜨거운 라면을 층계에 앉아 숨도 안 쉬고 먹었어… 거의 다 먹어가는데… 허기가 가시니까… 아니, 그 아이가 가로등처럼 날 바라보고 있어서 그랬나? 이 씨발놈의 눈물이 어찌나 쏟아지던지… 그냥 라면의 뻘건 국물 위로 눈물을 한 바가지나 쏟았어… 내 평생 그렇게 서럽게 운 건… 그 아이 앞에서가 처음이자 마지막이야…."

명순은 처음 듣는 소리였다. 혜숙이라는 이름도… 라면 이야기도….

"내가… 눈물이 반이나 섞인… 아니 눈물만 섞였나 뭐… 하늘의 눈송이도 한주먹은 들어간… 그 라면 국물을… 껄껄 눈물 딸꾹질을 해가면서… 한 방울도 안 남기고 다 마셔버렸지… 볼만했을 꺼야 그 꼬락서니가… 그 아이는 그걸 다 지켜보았고… 어쨌든 간에 그러고 나니까 죽는다는 생각도 새까맣게 까먹고… 엄마도 그날부로 잊었어…."

남편은 결혼하고 나서 단 한 번도 어머니를 입에 올린 적이 없었다.

"내가 못된 놈이지… 혜숙이가 나 좋다고 그렇게 쫓아다녔는데… 필요할 때는 가서 라면 한 냄비 얻어먹고 힘을 내놓고는… 아니 아니 목숨까지 구한 거지… 그런데 난 또 그런 애를 멀리했으니까… 그 아이를 늘 마음 아프게 했어…."

남편은 이미 명순의 존재를 잊고, 홀로 회한에 빠져 그 시절로 돌아가 있었다. 명순은 남편에게 그런 과거가 있었는지 새삼스러웠다.

"그렇게 착하고 좋은 아이가… 죽는다고 그러네…. 내가 라면값도… 아직 못 줬는데… 고맙다는 말도 아직 못했는데… 이 계집애가 돈도 안 받고 그냥 간다네…. 여보, 나 그 병원에 지금 좀 가야겠어."

옷을 챙겨 입으려는 남편을 보며 명순은 당황스러웠다. 처음 듣는 이야기에다 장모님이 돌아가셨을 때도, 처제가 사고로 죽었을 때도, 그리도 담담하던 남정네가 저렇게 정신이

나간 듯이 행동하는 것을 보니 기가 막혔다.

　명순은 남편에게 그 정신으로는 운전을 못 하니 점심을 먹고 함께 출발하자며 겨우 진정시켰다.

　명순은 설거지를 하며 별의별 생각이 다 떠올랐다. 저 정도 흔들림이라면 마음속에 혜숙이라는 여자를 늘 품고 다녔다는 말인가. 자신이 골백번은 끓여주었을 라면을 볼 때마다 늘 그녀를 생각했다는 건가. 명순은 묘한 기운이 스멀스멀 가슴께를 타고 올라오는 것을 느꼈다. 늘어진 런닝 차림에 엉뚱한 소리만 주구장창 늘어놓고, 근사한 분위기 한번 잡을 줄 모르는 꾀죄죄한 남편이라고 생각했는데 언제 저런 로맨스를 품고 있었다는 말인지….

　명순은 나직이 관세음보살을 중얼거렸다. 하지만 마음은 이미 남편을 따라 그 시절로 치닫고 있었다. 깨진 접시 파편에 베인 상처가 느껴지지 않았다.

　함박눈 속에서 고개를 숙이고 라면을 먹고 있는 남편과 절망에 빠진 그의 까만 머리를 가로등처럼 바라보고 있었을 그녀.

　두 사람의 영상이 그려지자 명순의 가슴이 아렸다. 그렇게 묘하게 아린 파도가 자꾸 밀물처럼, 썰물처럼 가슴을 헤집고는 또 빠져나갔다.

중부고속도로는 평일이라 시원하게 뚫려있었다. 남편은 명순이 관세음보살이라도 되는 듯 그 시절의 이야기를 모조리 쏟아냈다.

"내가 혜숙이를 마음 아프게 한 것은 사실이지만… 어쩌면 그건 다 열등감 때문일지 몰라… 혜숙이는 나 같은 남자를 만나서는 안 된다고 생각했지… 난 그녀를 품에 안을 급이 못돼… 난 부모도 없는 거나 다름없었고… 혜숙이는 너무 귀하고 고운 아이였어 착하고… 내겐 너무 과분한 여자야…. 결혼했으면 평생 얻어먹었을 음식… 그 라면 한 냄비로도 충분했어…."

갑작스러운 소나기가 차창을 때렸다. 명순은 와이퍼를 2단으로 올렸다. 눈앞에서 와이퍼가 숨차게 물기를 닦아 내렸다. 명순은 자동차 오디오의 볼륨을 높였다. 입 밖으로 관세음보살 정근이 절로 흘러나왔다.

"내 와이셔츠 이거 다려 논 거 맞지? 그런데 왜 이렇게 쭈글쭈글 해 보여?"

"내가 아까 꾹꾹꾹꾹! 눌러서 다리미로 주름 펴고, 소매 깃까지 빳빳하게 다려줬잖아요."

명순은 다시 한 번 꾹꾹 참았다. 지금 마누라가 아니라 돌장승이 운전하는 차를 타고 가는 남편이었다.

"내가 이 나이에 쑥스럽지만… 혜숙이를 위해 선물을 급하게 준비했는데… 좋아할지 모르겠어… 오늘… 이승에서는 마지막으로 보는 거잖아."

이승에서는? 그럼 저승 가서 마누라 말고, 그 여자의 라면을 또 얻어먹고 싶다는 말이야? 남편의 말을 도대체 어디까지 받아주어야 할지, 명순은 가슴이 콩닥거렸다. 마지막 가는 길에 어린 시절 첫사랑 남자를 한번 보겠다는 여자를 질투할 수도 없었다.

"무슨 선물인데요?"

"이 나이가 되도록 내 머릿속에 자리 잡고 있는… 어린 시절 혜숙이를 한번 그려봤어… 서너 시간 만에 뚝딱 그린 거라 조잡하지만… 그래도 편의점 음료수 사 가는 것보다는 낫겠다 싶어서… 혜숙이는 내 그림을 무척 좋아했거든… 고등학교 때 자기를 그려준 그림을… 15년 동안이나 가지고 있었더라고… 그 낡은 걸… 얼마나 짠하던지…."

순간, 명순은 머리에 불이 번쩍 튕겼다. 와이퍼를 3단으로 높였다.

"15년 동안이나 가지고 있던 것을 어떻게 알았어요? 말해

봐요 어서!"

남편은 당황해서 우물쭈물 말을 못했다.

"지금 당신 옷 다려주고, 그 여자 분에게 모셔다 드리는 것도 나예요. 그렇죠?"

명순은 '침착해 침착해'를 되뇌며 차분하게 말했다.

"딱 한 번… 만난 적이 있어… 삼십 대 때… 정말 딱 한 번이라니까…. 딱 한 번"

남편은 죄인처럼 그녀를 만난 것을 고백했다.

"15년이면… 우리 큰 애 애기 때네! 당신 지금 나 몰래 그여자 만나고 한마디도 안 했잖아! 나는 큰 애 키우느라 우울증으로 죽을뚱 살뚱 고생만하고 있었는데!"

참고 참았던 명순의 목소리가 째지게 높아졌다. 명순은 휴게소라도 들어가서 따지고 싶었다. 하지만 그 흔한 졸음쉼터마저 눈에 띄질 않았다.

호스피스 병원으로 들어간 남편은 벌써 3시간째 나오질 않는다. 기다리는 내내 명순의 명치는 아리고, 가슴은 벌렁거렸다.

사랑싸움이 많았던 젊은 시절 이후로 말라버린 줄 알았던 '떫디떫은 물기'가 자꾸 가슴을 치댔다. 애들 다 키우고 남편과의 사이에서 오랜만에 느껴보는 기분이었다. 지금까지 이 물기는 어디에 고여서 숨어 있었을까? 이 물기는 질투일까. 아니면 사랑일까.

남편은 지금 그녀에게 라면값을 그림으로 대신 갚고 있는 중이다.

남편을 기다리느라 병원 현관만 뚫어져라 바라보는 명순의 입에서는 관세음보살 정근이 절로절로 튀어나오고 있었다.

이 정도 기품은 있어야

12월, 거실 통유리로 눈보라가 몰아친다.

눈을 감고 유리 가까이 얼굴을 밀착시켰다. 눈송이를 맞는다. 얼굴과 눈발 사이에는 통유리가 가로막혀 있다. 뺨에 닿은 유리의 찬 기운만큼이나 눈송이도 시릴 것이다. 사이에 유리가 있는 한 펄펄 살아 있는 눈은 실감하지 못한다.

선우는 12월 달력을 들여다본다. 한 해가 지나간다. 어머니가 돌아가신 지도 벌써 일 년이다. 어머니가 돌아가신 후, 몇 달간 밥을 넘기기도 힘들었다.

이제는 '죽음'이라는 단어가 낯설지 않다. 죽음은 생각보다 너무 가까이에 있다. 어머니뿐만 아니라 가장 믿고 따르던 선배 한 분이 화장실에서 맥없이 쓰러져, 언어도 기억도 다 잊어버린 갓난아이가 됐다. 아끼던 후배 하나는 불과 계단 세 개인 곳에서 미끄러져 유명을 달리했다. 너무 허무하게, 사소하게 그렇게 인연들이 낙엽처럼 떨어졌다.

세상의 모든 것은 변한다. 변하기에 찰나가 새롭다. 새롭기에 헌 것과의 인연에 집착할 것이 없다. 그렇게 생각했다. 그러나 변치 않는 옹이진 분노도 있다. 씻기지 않는 얼룩이 있다. 선우에게는 아버지였다. 칠순을 넘긴 아버지지만 선우에게는 여전히 분노의 씨앗이다.

한 해를 마감하는, 가족들이 오순도순 모이는, 12월이 되면 늘 앙금처럼 남아 있는 애증의 찌꺼기가 등을 민다. 이번 해가 다 가기 전에…, 화해해야 한다는 강박이 몰려온다. 선우의 머리에도 흰털이 늘어나고, 주위 곳곳에서 부고장이 날아오면서 더 심해진다. 아버지와의 화해는 늘 풀리지 않는 숙제였다.

선우의 아버지는 '도사'로 불리었다. 강 도사. 산속에서 도를 닦아 삶의 길을 밝힌 '도사'가 아니고, 춤 도사, 도박 도사였다. 평생을 '춤도 돌고, 사람도 돈다'는 카바레 생리를 좋아하셨던 분. 무도장 도롯도와 지르박, 블루스 음악이 흐르는 카세트 플레이어를 어깨에 달랑 메고, 방방곡곡을 주유천하했던 춤 선생님. 춤을 가르치고 돈이 생기면 도박판에서 인생의 짜릿한 맛을 계속 이어가셨다.

어린 시절, 집 안 비키니 장롱 안에는 낡고 작은 금고가 하나 있었다. 우리 사 남매는 얼씬도 못하게 하던 금고.

항상 궁금했다.

저 안에 돈다발이 들어있지 않을까. 저 안에 땅문서나 금덩이가 들어있지 않을까.

원래 아버지가 큰 부자인데도 일부러 뼈저린 가난을 경험하게 하려고 일부러 우리를 방치하는 것인지도 모른다고 생각했다. 언젠가는 저 금고를 활짝 열면 벼락부자가 될 것이라는 달콤한 상상을 했다. 그런 상상마저 없었으면 사 남매는 지독한 가난에 무릎 꿇고, 깨진 사금파리처럼 뿔뿔이 흩어져 버렸을 것이다.

어머니는 아버지가 무슨 일을 하는지, 어디로 다니시는지 전혀 모르셨다. 일 년에 한두 번 집에 들러 약간의 돈을 주고, 바람처럼 다시 떠나버리시는 게 전부였다.

어머니는 잡지 않았다. 아버지도, 세월도, 자식도….

손아귀에 쥐려 하지 않았다. 항상 죽음을 생각하셨는지 '그래도 끝까정 사는 놈이 이기는 거이다.'라는 말씀만 하셨다. 좌절과 모멸을 당하고 눈물범벅을 하고 온 자식들에게도 '똥 밭에 굴러도 악착같이 목숨 붙들고 있는 놈이 이기는 거이다.'라는 말만 되풀이했다.

이기는 거이다!

비참과 굴욕 그 이상의 어떠한 상황에서도 죽지 않은 놈이 마지막에는 이긴다는 어머니의 절규였다.

어머니는 아버지의 낡은 금고를 애지중지했다. 어쩌면 아버지 대신 금고랑 사는 것처럼 보일 때도 있다. 자나 깨나 금고를 확인하고, 닦는 것을 잊지 않으셨다. 어머니가 가장 화낼 때는 자식들이 금고를 함부로 다룰 때였다. 어쩌면 아버지보다 금고를 더 아끼셨는지 모른다. 그 속에 무엇이 들어 있는지도 모르신 채.

외간남자처럼 드나드는 남편의 금고를 닦을 때 어머니는 무슨 생각이셨을까. 자식들처럼 금고 안에 금덩이를 상상하셨을까. 아니면 아무리 미워도 아이들 아버지니 아내의 도리를 하려 하신 걸까. 혹시 아버지가 그리워서? 선우는 알지 못한다. 광이 나게 금고를 닦을 때 어머니가 짓던 그 형용하기 어려운 표정을 잊지 못한다.

작년 이맘때 어머니는 똥 밭에 무릎을 꿇고 말았다.

스스로 패배를 인정하고, 하늘 길을 손수 앞당겨버리셨다. 불면증에 시달렸던 어머니. 아주 오랫동안 깊은 잠을 자고 싶으셨나 보다. 그만큼의 수면제를 삼키셨다. 지금도 깊은 잠을 주무시고 계신다고 믿고 싶다.

어머니가 돌아가시기 한 달 전, 어머니는 집에 완전히 정착한 지 삼 년이 되어가는 아버지께 애원했다.

"내가 더 늙기 전에 금고 한 번 열어봅시다."

아버지는 불같이 화를 냈고, 아예 집을 또 나가버리셨다. 며칠 후에나 들어오실지 기약이 없었다. 어머니는 뜬 눈으로 이틀 밤을 꼬박 새우셨다. 그리고는 선우의 손에 도끼를 쥐여주었다.

"도치로 쳐라! 저놈의 배창시를 내가 한 번 훤히 들여다볼란다!"

도끼를 든 선우는 그렇게 애지중지하던 두 분의 금고를 도저히 열 자신이 없었다.

"어서 까부시라니까네!"

어머니는 선우의 손에서 냉큼 도끼를 빼앗았다. 퍼런 힘줄이 도드라져 보이는 가냘픈 팔이 하늘로 올라갔다.

찰캉!

파열음 소리가 나며 도끼가 저만치 나동그라졌다.

선우의 눈에 눈물이 핑 돌았다. 도끼를 번쩍 든 낙엽 같은 어머니의 비현실적인 정물. 그 스틸 컷은 평생 선우를 따라다니며 삶의 페이소스를 증폭시킬 것이다.

선우가 어머니 손에서 튕겨나간 도끼를 대신 주워들었다. 그리고 사 남매의 대박 복권이자, 어머니의 판도라 상자를 미친 듯이 도끼로 내리쳤다. 도끼는 시퍼런 살기를 사방에 튀기며 굉음을 뿜어냈다.

20여 분이 흘렀을까. 드디어 금고가 아가리를 벌렸다. 금고 속을 들여다본 선우의 입은 더 크게 벌어졌다. 함께 금고의 배창시를 본 어머니는 놀라지 않았다.

똥 밭에 구르고 산 세월이 얼마던가.

어금니를 꽉 깨물었을 뿐이다.

닫아라.

어머니는 짧게 한 말씀을 하시고, 아버지가 좋아하는 청국장을 끓이기 시작했다. 언제 돌아올지 모르는 아버지의 청국장을 끓이는 어머니의 뒷모습.

어깨만 간간이 들썩이는, 50여 년의 회한이 쌓인 등의 침묵.

강물의 두꺼운 얼음이 쩡! 하고 금이 가고 있는 섬뜩함. 어머니의 냉기서린 등이 두려웠다.

어머니는 다음 날, 식어버린 청국장을 버리고 또 새로운 청국장을 끓였다. 그리고는 신혼 초에 그랬던 것처럼 아버지의 저고리와 마고자를 다리미로 다렸다. 아버지는 놋그릇 만드는 일이 끝나고 집에 돌아오면, 머리끝부터 발끝까지 항상 빳빳하게 다려진, 가장 깨끗한 옷으로 갈아입고 마실을 나가고는 했다. 어머니는 그 일을 군소리 한마디 없이 해냈다.

동네 사람들이 유기쟁이 주제에 마누라 고생시켜 양반 타령 한다고 수군거리면 어머니는 한마디 했다.

"나랑 한 이불 속에서 살 사내대장부라면, 이 정도 기품은 있어야 내도 품에 안길 마음이 나지 않것나!"

아버지의 기품.

어머니가 아버지의 기품을 지키고, 자식들의 바람막이가 되어준 거대한 담벼락이었다면, 아버지와 사 남매는 그 담을 타고 넘는 담쟁이넝쿨이었다. 그 벽이 없었다면 여린 이파리들은 바닥으로 바닥으로만 박박 기며 뻗어 나가다가, 이런저런 구둣발에 치이고 짓이겨졌을 것이다.

귀에 못이 박이게 말씀하신 '살아남는 것이 이기는 거다!' 라는 말씀대로 우리는 살아남기 위해 어머니의 등을 밟고 악착같이 담을 타고 넘었다. 어느 벽돌 한 장만 빠져도, 담벼락은 위태해진다. 벽이 무너지면 넝쿨은 아무런 힘이 없다.

이제 담벼락은 허물어졌다.
우리 담쟁이들은 주춤거린다.
방법은 없다.
이제 다른 벽을 찾을 것이 아니라, 우리가 담벼락이 되어야 할 차례다.
평생을 이파리로 살다가 떨어지고야 말 아버지.
어머니가 담벼락이 되어주었듯이, 한겨울 말라비틀어진 아버지라는 이파리가 기댈 곳을 만들어주어야 한다.

선우는 12월의 달력에서 눈을 뗀다.
아직 12월이 다 가지 않았다.
선우는 자신과 아버지 사이에 항상 통유리가 가로막혀 있었다고 생각한다. 그 유리는 서로에게 진심을 나누지 못하게 했다. 유리 안에서 본 아버지는 바깥 유리에 부딪히는 눈송이였고, 아버지 또한 찬바람을 맞으며 유리창 밖에서 항상 서성였다. 어느 순간, 아버지는 살을 맞대고 싶었는지도 모른다. 하지만 우리는 아버지를 단죄하고 싶어, 불행의 원천을 응징

2막 여름,

하고 싶어, 유리 벽 안에만 머물렀던 것은 아닌지.

유리 벽은 담쟁이가 타고 오르지 못한다.

손을 대면 미끄러지고 다리를 붙이면 허방이다. 영원히 실
답게 만나지 못하고, TV 속 타인들의 연기 보듯이 살아야 하
는 유리 벽.

선우는 문을 열었다. 여전히 눈보라가 쏟아진다.

선우는 내비게이션을 맞춘다. 아버지가 계실 샌프란시스
코 카바레를 찾아 맞춘다.

도로에는 미친 눈보라가 오히려 좋다는 듯 부둥켜안고 걷
는 젊은 연인들의 표정이 생기롭다. 차 안에서는 리 오스카
의 샌프란시스코 베이가 흐른다.

사시사철 따뜻한 곳 샌프란시스코.

그 따뜻함을 찾아서, '춤 선생님'의 추억을 찾아서 가셨을
아버지. 이제는 쇠락해서 거의 찾지 않는 곳, 아버지 연배의
웨이트리스 할머니들이 진한 화장을 하고 부킹을 시켜주는
곳, 샌프란시스코 카바레로 향한다.

하늘은 진주알 같은 눈송이를 왈칵왈칵 토해낸다.

도끼로 입을 벌린 아버지의 금고에는 우리를 벼락부자로 만들어 줄 금은보화 따위는 없었다.

화투목 다섯 세트와 여러 개의 화학약품 병이 들어 있었다.

화투 뒷장에 화학약품으로 특수 처리를 해 놓은 화투목.

그리고 타짜의 도박 도구들이 금고의 배창시였다.

산 입을 가진 식구보다 더 애지중지하게 여겼던 아버지의 진짜 자식들.

12월이 다 가기 전, 선우는 지르박을 배워볼 참이다.

현란한 스핀으로 아버지에게 부킹을 청할 것을 상상해 본다.

샌프란시스코로 가는 길은 여전히 눈보라로 앞이 보이지 않는다.

두 남자와 살아야 사는 여자

무심화無心華 은복녀의 눈이 간신히 열렸다.

나직한 주기도문 소리 때문이었다. 수녀님들이 어느 환우 앞에서 기도를 해주고 계셨다.

일요일, 혹은 주일이라고 불리는 휴일에는 유난히 병실이 쓸쓸해진다. 하얀 시트 위에 아침 햇살까지 천진하게 쏟아질 때면, 알 수 없는 서러움이 밀려온다. 어느 맑은 눈이라도 마주치면 금방 눈물이 툭 터져버릴 것 같다.

수녀님들은 정기적으로 이곳 임종을 준비하는 분들의 병실을 찾아와 나직한 찬송과 함께 축원을 해주었다. 수녀님들은 주기도문을 마치고, 천주교 신자 환우의 별스럽지 않은 말에도 어깨를 쳐가며 함께 웃었다. 그 모습은 언제 보아도 부럽다. 수녀님들은 그 환우뿐만이 아니라 은복녀에게도 항상 말을 걸어주었고, 병의 차도를 물었다. 수녀님들의 일상적인 말 한마디였지만, 가슴에는 온기가 피어오르고 애잔한 물기가 번진다.

얼마 살지 못한다는 것.

죽음이라는 손님을 맞이해야 하는 두려움. 그가 오는 시
간을 안다면 이렇게 막막하게 숨이 막히지는 않을 텐데, 언
제 어떻게 자신의 손을 잡아끌지 모르는 그를, 넋 놓고 기다
린다는 것은 잔인한 처사였다.

아침에 눈을 떠서, 햇살 한 조각이 눈가에 스미면 얼마나
깊고 깊은 안도의 숨이 터져 나오는지… 밤새 살아냈구나…
아직은 세상이 기다려줬구나…. 먼저 코를 함지박만 하게 열
어 더는 못 맡을 세상의 모든 냄새를 몽땅 들이마신다. 어느
새 귀를 열어 아주 작은 소리까지 더듬고, 남들은 행여 듣지
못할 것 같은 그 소리에 맞추어 두근거리는 심장은 막춤을
춘다.

살아 있음의 날 것을 느끼는 춤.

'생 것!'

오감이 열리고, 감정마저 잠을 털고 일어나면 살아 있다
는 '안도'와 함께 여지없이 처절한 고독이 밀려온다. 아마 '안
도'라는 겨우 따스해진 얼굴은 필연적으로 '고독'이라는 흉측
한 꼬리를 달고 살아야 하는 운명인지 모른다. 촌각을 다투
는 위태하고 불안한 때는 고독은 없다. 어쩌자고 겨우 안도하

고 다른 곳으로 고개를 돌리려 하면, 고독은 쏜살같이 다가와 사방에 우뚝 서서 오래된 이끼처럼 친숙하고 은밀하게 속삭이는지…, 끔찍하다.

사람들을 모조리 피하고 싶으면서도 누군가가 말을 걸어주기를 바라고, 또 '누군가'들에게 살면서 그동안 미안했다고 말해주고 싶은 자가당착적 심정.

초로의 은복녀는 말기 암이 주는 육체적 고통보다는 정체를 알 수 없는 번뇌들이 더 미칠 지경이었다. 하지만 어쩌겠는가. 다만, 피할 수만 있다면 그 무섭고 서러운 길을 혼자 가고 싶지 않다. 그러나 과연 누가, 자신 옆에서 그 고독의 두려움을 받아주며 그 길을 함께 가 줄 수 있단 말인가.

그럴수록 수녀님들의 목소리가 반갑다. 잠 속에서 어두운 생사의 길을 걷고 있을 때, 수녀님들의 주기도문과 찬송 소리는 밝고 싱싱한 복된 소리, 복음福音으로 들렸다. 눈을 떠서 수녀님들의 검정 긴 치마와 천으로 된 편안한 허리띠. 내피가 흰, 머리의 베일을 보면 마음이 놓였고, 편안해졌다. 다니던 사찰과는 또 다른 안심이었다. 수녀님들의 말씀 한마디, 손길 하나가 어떤 약보다 편안한 치유였다.

은복녀는 온종일 병원에 누워 있다. 당연히 그리운 것도 많다. 특히 수녀님들을 보면 자신이 다니던 절이 자꾸 떠올랐

다. 낭랑한 목탁소리가 그렇고, 짙게 타는 향 내음, 특히 번쩍
번쩍 닦인 놋쇠 그릇에 수북이 담긴 사시마지가 보고 싶다.

마지란 부처님께 올리는 공양이다. 공양주가 최고의 정성
으로 만든 음식이다. 밥을 지은 뒤 그중에 제일 잘된 부분을
마지 그릇에 담아 불전에 올린다. 은복녀는 뚱딴지같이 불전
에 올렸던 그 사시마지를 한 수저라도 먹으면, 자신의 병에
차도가 있을지도 모르겠다는 생각이 들었다. 지푸라기라도
잡는 심정이었다. 하지만 그것은 언감생심이다.

어느 날이었다. 병실에 한 홀아비 남자가 입원했다. 사복
을 입었지만 풍기는 모양새가 스님이었다. 스님이라고 확신을
한 것은 다름 아닌 동자승 하나가 하루에도 몇 번씩 스스럼
없이 그 병실을 드나들었기 때문이었다. 앞니가 두어 개 빠
진 대여섯 살의 어린 동자승이었다.

"저 아이들을 데려다 놓고 자기들 부모처럼 나까지 또 세
상에서 사라져 버리면, 저 아이들은 세상에서 두 번을 크게
울게 되는 거지요."

입원한 스님은 부모가 없는 아이 다섯을 거둬다 키웠다.
그런데 스님이 크게 병이 나자 다른 동자승들은 의젓하게 자
기의 일들을 척척 해나갔지만, 가장 어린 막내 동자승은 혼

자 잠도 자지 못했다. 동자승에게는 아직 주지 스님이 엄마였다. 어느 날은 울고불고 떼를 써서 혼자 몸도 챙기기 힘든 주지 스님의 팔을 빼앗아, 기어이 베개를 만들고 나서야 잠을 자는 날도 있었다.

은복녀는 어느 순간부터, 동자승 하는 짓이 TV 연속극보다 재미있었다. 아침부터 저녁까지 시도 때도 없이 탱탱 튕기는 '생기 덩어리' 동자승의 인간 다큐멘터리는 뭉클했다. 그것은 마치 젊은 시절 보았던 영화 '시네마 천국'의 40편의 키스 장면만 모아놓은 마지막 장면과 같았다. 은복녀는 웃을 수도 울 수도 없었지만 아련했다.

늙은 영사기사가 감독이 된 꼬마 토토에게 남긴 유품이었던 그 마지막 장면처럼 동자승이 주지 스님에게 하는 천진한 행동은 눈물겹고, 애틋했다. 제법 스님처럼 행동하다가도, 금방 아이가 되어버리는 모습은 울다가 웃을 수밖에 없었다. 부처님이 계신 사찰이 통째로 병실로 들어온 거나 다름없었다.

스님이 몹시 힘겨워하던 어느 가을날, 다섯의 동자승들이 우르르 스님을 병문안 왔다. 은복녀는 동자승 하나하나가 눈에 넣어도 안 아플 만큼 대견하고 귀엽게 보였다. 병원 밥만 드셨던 스님을 위해 아이들이 절에서 음식을 직접 가져와 스님 앞에 공양 상을 차리기 시작했다. 스님의 눈에 눈물이 고였다.

스님 앞에는 번쩍번쩍 빛나는 사시마지 그릇이 그대로 올라왔다. 아마 동자승들이 법당에 있는 마지니, 과일이니, 청수淸水니 하는 것들을 올렸던 그대로 가져온 모양이었다. 나름대로 영험한 음식이라는 생각이었을 것이다.

"보살님, 이것 좀 같이 드셔 볼랍니까?"

사시마지다. 은복녀는 스님의 권유에 단 한 번의 사양도 없이, 밥 수저만 든 채로 스님 쪽으로 성큼성큼 발걸음을 옮겼다. 어기적, 어기적거리며 다니다가 어디서 그런 힘이 났을까?

잠시 후, 아버지 스님과 동자승들이 놀라서 쩍 벌린 입을 뒤로하고, 무심화 은복녀는 수저에 붙은 마지막 밥풀을 뜯어먹으며 아쉽다는 듯 자신의 자리로 돌아왔다. 은복녀 뒤로 고함 같은 동자승들의 울음이 터져 나왔다. 스님 아버지가 공양할 밥을 고스란히 빼앗긴 동자승들의 울부짖음이었다.

사시마지 덕분이었을까?

생기로 똘똘 뭉친 동자승과 함께 자주 놀아서였을까? 수녀님들의 진심 어린 관심 덕분이었을까? 은복녀는 임종을 준비하라는 의사의 말을 들은 지, 두 달 만에 그 특별한 병실을 나올 수 있었다.

지금, 은복녀의 이름은 셋이다. 본명과 지혜의 의미를 가진 천주교식 세례명 소피아, 그리고 불교식 법명 무심화다.

은복녀는 일요일만 되면 두 배로 바쁘다. 사시마지를 빼앗아 먹었던 그 절의 일요법회에 무심화 보살로 참석한다. 그곳에서는 이제 턱밑이 거뭇거뭇해진 중학생이 된 동자승들이 할머니를 반긴다.

무심화 보살은 아이들의 별식을 챙겨준다. 동자승들은 일요법회가 끝나면 할머니를 보내려 하지 않는다. 엄밀히 말해 성당으로 보내려 하지 않는다. 하지만 무심화 보살은 그곳 절에서 정신없이 동자승들을 챙기고 나면 부리나케 달려 성당으로 향한다. 자신을 안심케 해주었던 그 수녀님들이 계신 곳이다.

은복녀는 무슨 일이 있어도 오후 미사만은 반드시 참석한다. 은복녀는 지혜를 뜻하는 소피아라는 세례명이 너무 좋다. 소피아 은복녀는 지금도 그 햇살 쏟아지던 병실에서 들었던 그 생명수 같던 음성들을 기억한다. 그것은 수녀님들을 통해서 역사하신 하나님의 손길이었다.

죽는 날까지 은복녀는 부처님과 예수님 중 어느 한 분만 선택할 마음이 전혀 없다. 동자승과 수녀님, 어느 한 사람도 남남이 되기 싫다.

지금 이대로 너무 행복하다.

남들이 기적이라고 할 만큼 죽음의 경계에서 힘겹게 걸어 나온 은복녀는,

무심화無心華는,

소피아Sophia는 안다.

죽음이라는 실체가 숨이 턱! 막히게 코앞에 닥쳤을 때는

부처도, 예수도, 무심도, 소피아도, 동자도, 수녀도

모두 한낱, 한 줌의 한 숨(息 breath)에 불과하다는 것을.

저는 행자입니다

'행자行者는 자기의 의견을 논論하는 자도 아니요.
언言하는 자도 아닌 오로지 행行하는 자다.'

무동이는 하루빨리 스님이 되고 싶었다. 그 소망은 초등학교 때부터였다. 아버지의 영향이 컸다. 아버지는 화두니 참선이니 하는 말만 나오면 환희심에 찬 표정을 지었다. 아버지의 사업이 잘되어 돈이 다발로 들어올 때도 볼 수 없던 얼굴이었다.

아버지는 늘 화두 참선에 관한 책을 읽고, 틈만 나면 좌복에 주저앉았다. 그리고는 한탄 섞인 넋두리를 하고는 했다.

"이번 생은 돈을 많이 벌어 보시의 삶을 살지만, 다음 생에는 기필코 선승이 되어 깨닫고 말 것이다."

부러울 것 없는 아버지가 가장 부러워하는 사람, 선승이었다. 무동은 어느덧 세상 최고의 가치는 깨달은 스님이 되는 것이었다.

열일곱, 고1의 나이에 아버지에게 스님이 되겠다고 말씀드렸다. 아버지는 막상 하나밖에 없는 아들이 스님이 된다고 하자, 헛기침을 하며 며칠을 아무 말씀도 안 하셨다.

몇 날이 지나고 무동이를 불렀다.

"무동아, 깨달음은 꼭 스님이 아니더라도 가능한 일이다. 인도의 유마거사가 그랬고, 중국의 방거사, 신라시대 부설거사가 그 증거를 보여주셨다. 웬만한 스님들보다 훨씬 깨달음이 깊은 분들이었지!"

아버지는 넌지시 무동이 마음을 돌리기를 바라셨다. 그러나 무동은 이미 화두니 참선이니 하는 말이 익숙했고, 특히 수수께끼 같은 선문답에 흠뻑 빠져 있었다. 영어 수학보다는 '은둔'이라는 책에 나오는 개성 있는 노승들이나, '물속을 걸어가는 달'에 나오는 깨달은 후에 짚신만을 엮고 살았던 수월 스님, 틀에 박힌 경전이 아니라 일상 속에서 깨달음의 경지를 보여 주었던 경허와 만공 스님의 이야기가 훨씬 생기 있게 다가왔다. 어린 나이에도 세상에 떠도는 '카톡용 좋은 구절'들은 오히려 아이들 장난처럼 여겨졌다. 무동은 나날이 불가佛家의 신묘한 세계에 빠져들었다.

스님이 되고 싶었던 아버지와 스님이 되는 것을 실현하려는 아들과의 '위태한 이심전심'이 서로 부딪혀, 찌릿한 위험한 전율을 몇 번 거친 뒤에 아버지는 이 한마디로 부자간의 전쟁을 정리했다.

"앞으로 20년간 내 눈앞에 나타나지 말아라! 20년을 못 견딜 것 같으면 애초부터 머리 깎지 말고 내 사업이나 물려받아라! 어쭙잖은 승려가 되느니 차라리 돈으로 세상의 즐거움이라도 솔직하게 즐기다가 가는 게 낫다!"

무동은 고등학교 졸업식을 마친 바로 다음 날, 갓 스무 살이 된 나이로 무탄사로 향했다.

새벽녘, 무탄사 일주문을 막 지나칠 때, 한 남자가 일주문 밖을 나서고 있었다. 서로 방향이 다른 두 사람은 느꼈다. 비슷한 뜻을 품었던 동류의 청춘임을…. 하지만 한 사람은 일주일 만에 행자 생활을 못 견디고 도망치는 것이요. 또 한 사람은 깨달음의 큰 뜻을 품고 이 일주문의 문턱을 넘어서고 있던 중이었다.

무동은 무탄사 원주 스님에게 출가의 뜻을 밝혔다. 사찰의 살림을 맡아 보는 원주 스님은 서류를 내밀었다. 출가 동기와 출가자의 신상을 밝히는 서류였다. 서류를 작성하고 바로 공양간에서 퇴공 소임을 맡게 됐다. 행자는 나이에 상관없이 들어오는 순서대로 퇴공(설거지) 채공(반찬) 공양주(밥) 소임을 하게 된다.

행자는 기본적으로 묵언해야 한다. 새로 시집온 새색시와 다를 바 없이 모든 게 조심 조심이었다. 행자 때 익힌 몸과 마음으로 평생 중노릇 한다는 말이 있다. 하심(下心)이다.

출가 의사를 밝혔다고 해서 바로 삭발하지 않는다. 일주일은 속세의 머리 그대로 허드렛일을 하게 된다. 선배 스님들은 일주일간 예비 행자의 일거수일투족을 지켜본다. 그런 후, 출가 의지가 느껴지면 3,000배를 하게 한 후, 삭발한다.

이 일주일을 견디지 못하고 대다수의 출가자가 일주문을 나간다. TV나 영화에서 보던 아름다운 이미지와는 전혀 딴판이다. 힘든 노동과 엄격한 규율을 제대로 지키는 스님 생활은 전쟁이다. 절보다 군대가 훨씬 더 편해 제대하기 싫었다는 말이 거짓이 아니다. 사랑의 실연을 당해서, 할 일이 마땅치 않아서 머리를 깎았다가는 1개월이 아니라 일주일도 버티기 힘든 생활이었다.

행자가 스님이 되기 위해 반드시 거쳐야 하는 공식 행자 교육원도 빡빡하기는 마찬가지다. 출가 6개월 이상 된 행자들이 21일 동안 교육을 받고, 시험을 통과해야만 사미계를 받고 가사와 장삼을 수할 수 있다. 출가를 결심하고 일주문에 들어선 사람이 10명이라 한다면 행자 교육원까지 가는 숫자는 2명에 불과하다. 대부분 충동적으로 왔다가 자신의 약한 의지를 탓하거나 준비가 되지 않았다는 이유를 들어 세상 속으로 돌아간다. 불끈하는 충동은 가장 대표적인 중생심인 만큼, 아무리 뜻이 좋아도 끝내 중생들의 동네로 후퇴하게 된다.

　무동은 삭발 면도기로 머리를 밀 때, 두피에 뾰족하게 솟아난 스트레스 부스럼이 터져나가는 쾌감이 좋았다. 시큰한 쾌감과 함께 얼굴로 피가 줄줄 흘러내렸다. 하지만 그렇게 상쾌하고 벅찰 수가 없었다. 마지못해 생활 방편으로 승려 생활을 하지 않는 이상, 삭발한다고 해서 슬픔 따위가 어디에고 붙을 수는 없다. 오히려 방향 없는 도가니탕 같은 세상에 함몰되지 않고, 부처님 법과 인연이 되었다는 것만으로도 천만다행이라는 안도의 기쁨이 차오른다.

　백번을 생각해도 감사한 일이다.

　무동은 머리를 깎은 날 밤, 이제 시작이라는 환희심에 잠을 이룰 수 없었다.

　일주일이 지나면서 자동으로 새벽 3시면 눈이 떠진다. 새벽 예불에 참여한다. 쉴 새 없는 절과 염불, 정근이 이어진다.

대충 눈치를 봐서 대웅전을 빠져나와 공양간으로 가야 한다. 대중들의 아침 공양 준비를 위해 보조를 해야 한다. 쌀을 씻고, 반찬을 만들고, 각 방으로 밥과 국을 나른다. 공양이 끝나면 퇴공은 온전히 무동의 몫이다.

무동은 바깥에서도 스님을 만나면 합장 반 배를 하고 손은 항상 차수를 하며, 행자들끼리 기러기의 행렬 같은 안행雁行을 해야 한다. 특히 신도나 관광객과는 잡담해서는 안 된다. 절 안의 누구든 얼굴도 마주 보아서는 안 된다. 행자는 세상의 가장 낮은 자리를 자처하는 하심이 몸에 배야 한다.

정신없는 아침 일과가 어느 정도 진정되면 기초교리를 배운다. '초발심자경문'은 언제나 어렵다. 특히 무동 행자처럼 젊은 혈기는 따분한 글자 풀이보다는 빨리 화두를 받아 깨달음에 이르고 싶은 마음이 불끈거린다.

무동은 온종일 몽롱하다. 끝없이 이어지는 울력, 부족한 잠, 배고픔, 자신도 의식 못하는 긴장으로 열흘째 해우소에 한번 앉아 보지 못했다. 초발심은 창대했으나 잠시 숨 돌릴 틈도 없이 과부하 되는 노동은 자꾸 마구니의 시험에 들게 한다.

별빛이 쏟아지는 공양간 앞에 쭈그리고 앉은 무공의 눈에 졸음이 쏟아졌다. 잠결에 며칠 전, 공양을 가져다 드린 암자 노스님의 말씀이 쟁쟁하게 들린다.

"그 먼 수행 길을 어찌 가려누…. 내가 사람 몸 받고 태어
나… 제일 힘들었던 건 깨달음이 아니고… 음욕이었어.
그것을 밀어내지 않고 잘 다루려면 공부밖에 없어. 자네
는 공부하다가 죽어버리시게."

얼굴에 여드름이 붉게 익은 무동은 눈을 감은 채 얼굴에
낀 개기름을 문질렀다. 노스님의 목소리에 이어 출가하기 전
날 밤, 아버지가 하신 말씀도 귀를 파고들었다.

"솔직히 말하면… 겁이 나서 출가를 못했다. 시주금에 물
들고… 스님을 하늘같이 떠받드는 여신도들에게 물들까
봐… 돈도 여자도 실컷 경험한 이 나이에도 나는… 아
직… 자신이 없다… 아들아… 아들아… 내 말 똑바로 듣
니?"

별빛 아래 빨간 여드름이 날마다 고드름처럼 달리는 한
행자가 졸고 있다.

인간박명

남자가 눈을 떴다. 새벽 4시 37분.

창 밖은 시민박명市民薄明이다. 해 뜨기 30분 전 즈음, 동쪽에서 붉은 기운을 내뿜으며 날이 밝아오는 시간이다.

텃밭에 작물들이 구별되고, 하늘에는 금성이 보인다. 해는 뜨지 않았지만 손전등이 없어도, 서서히 열리는 세상의 속살을 가늠할 수 있는 시간이다.

남자는 자명종을 매일 밤 새롭게 맞춘다. 언제부터인지는 기억나지 않는다. 다만 세상이 참 아름답다고 느끼면서부터였을 것이다.

언젠가는 다시 못 볼, 반드시 이별해야 할 사람들과 찰나 찰나 단 한 번뿐인 표정으로 남자를 스쳐 가는 그 풍광들. 잠시도 머물지 않는 이 아름다운 사람들의 생기와 날이 갈수록 신비하기만 한 이 오묘한 살아 있는 것들의 꿈틀거림들.

왜 이 신묘한 것들을 보지 못하고 미망 속에서 헤매고 살았을까. 무엇에 홀려서 마음을 덮어 놓고 살았던 것일까.

남자는 해가 형체를 드러내기 전, 붉은빛을 뿌리는 시민박명이 좋았다. 매일 일출, 일몰의 시각과 시민박명과 어둠이 채 가시기 전인 항해박명, 별들을 볼 수 있는 천문박명까지의 시각을 꼼꼼히 체크한다.

해가 뜰 때와 질 때, 세상의 빛은 같은 분량의 빛을 뿜는다. 다만, 해가 질 때는 시민, 항해, 천문의 순이지만 해가 뜰 때는 그 반대의 순서로 빛을 뿜어 새로운 아침을 만들어 낼 뿐이다. 남자는 하루에도 수차례 기상청을 들어가 날씨와 풍향, 풍속, 레이더 영상과 위성영상을 확인한다. TV와는 헤어진 지 오래고, 인터넷의 가장 큰 용도는 구글 지도와 구름, 비, 해의 들고남을 확인하는 일이다. 매일 수십 초의 차이밖에 안 나지만 남자는 시민박명의 정확한 시간에 맞추어 하루를 시작한다.

남자는 방문을 열고 나가, 별빛으로는 데워질 수 없는, 식어버린 마룻바닥에 무릎을 꿇는다. 붉은 여명 빛 아래 머리를 조아리고 중음신의 웅얼거림으로 기도를 한다.

'어리석음으로 살지 말게 하소서…'

완전히 밝지도 못하고, 그렇다고 어둡지도 않은 박명의 시간, 30분. 남자는 짧은 기도를 하고, 아침 공기에 스민 새벽빛을 보약처럼 삼킨다. 여름이건 겨울이건 밝음이 번지는 시간대는 춥다.

남자는 움츠린 어깨를 털어내고 닭장을 향한다. 들개에게 한쪽 날개를 빼앗긴 암탉은 횟대에 오르지 못하고, 땅바닥에서 불안한 밤을 보냈다. 사방 벽이 막히자 땅바닥을 뚫고 올라오는 쥐들의 극성에 닭의 설 곳은 나날이 위태하다.

암탉은 거의 제시간에 알을 낳는다. 닭의 알은 함부로 먹지 못한다. 닭은 알을 낳은 후, 바로 움직이지 못한다. 얼마간 꼼짝 않고 고통을 희석한다. 그 눈빛을 본 사람이라면 알을 송곳니로 툭 깨어, 목구멍으로 후루룩~ 쉬이 흘려 넘기지 못할 것이다.

닭이 텃밭의 상추를 마구 쪼아도 남자는 탓하지 않는다. 산란의 통증이 남자에게도 고스란히 전해지는데다가, 닭이 먹은 피와 살이 남자의 피와 살이 된다는 것을 알기 때문이다.

남자가 닭의 '알'을 먹는다는 것은 닭의 '알맹이'를 먹어버리는 것과 같다. 노란 알맹이의 달콤함이 목젖을 타 넘을 때마다 애틋한 정을 느낀다.

남자는 아침으로 보리차에 보리밥을 말아먹기 전까지, 풀을 뜯는다. 풀은 무섭다. 아마도 지구의 주인은 풀이었으리라. 눈 돌리고 한숨 쉬면 풀은 한 뼘씩 자라 있다. '풀은 잡는 것'이다. 풀은 늘 저만치 도망가듯 자라난다. 풀은 남자의 나태를 증명한다.

남자는 도시생활을 청산하고 땅을 밟고 산 뒤로 자신의 허물을 보는 시간이 많아졌다. 하늘과 땅, 자연은 선지식이었다. 풀을 뜯고, 시도 때도 없이 들어오는 갖가지 벌레들과 닭과 토끼, 거북이와 상처 난 구렁이를 키우며 느낀 산 생명의 온기, 도저히 새소리 같지 않은 기괴한 울부짖음과 밤이면 스산하게 부딪는 대나무의 신음 소리까지…. 남자의 귀는 깊은 곳까지 열리고, 눈을 감고도 산 것들의 맹렬한 생존 육성을 듣는다.

사람의 소리로는 형용할 수 없는 숨 쉬는 것들의 사이렌 소리가 남자를 온종일 움직이게 한다. 출타해서도 '산 것들의 밥은 멕여야' 한다는 소리가 귀에 쟁쟁하다. 어린 나를 두고 장을 간 어미도 이런 마음이었으리라.

남자는 풀과 살아 있는 것들과 함께하는 시간이 길어질수록 중생심의 경계가 선명해진다. 경계에 닥쳤을 때 일어나는 모든 것들이 자각된다. 자각되면 분별은 저절로 떨어져나간다. 분별이 사라지면 '무심'이라는 단어로 표현되는 텅 빈 것만 남는다. 어느 것도 이름 붙을 수 없는, 어떤 언어로도 표현

될 수 없는 '그러한 움직임'만 생생하다. 내가 생생해지면 주변의 모든 것이 다 생기로워진다. 각자가 피어나는 꽃이 된다. 누가 더 높고, 또 낮을 수 있겠는가.

생생해질수록 육신도 내 것이 아니요, 마음도 내 것이 아니다. 알 수 없는 그 무엇만 걸어 다니고, 밥을 먹고, 산 것들을 돌본다.

그야말로 '살 만하다.'

하지만 이 맛을 가지고 다니려 하지도 않고, 열심히 하려는 마음도 놓는다. 열심히 하려 하지 않는 마음이나 열심히 노력하려는 마음이나 모두 같은 구멍에서 나온 것임을 안다. 이것이나 저것이나 개의치 않는다. 그저 어느 순간, 어떤 상황이든지 그대로 주저앉는다. 좋으면 좋은 대로, 화나면 화난 대로, 어리석으면 어리석은 대로 습관적인 저항을 경계하며 펼쳐진 흐름대로 누리고, 자각심만 쌔근쌔근 숨을 쉰다.

자각되면 무심이다. 이곳에서 저곳으로 기분을 갈아타려하지 않는다. 조작하지 않는다. 말도 스스럼없이 흐른다. 구업(口業)을 염두하지도 않는다. 다소 주책스러운 대로, 지나치게 솔직한 대로, 자신감이 뚝뚝 흐르는 대로 말의 물길을 제어하는 수고가 없어진다. 누구는 권위가 없다고 하고, 누구는 푼수라고도 하지만 말이 제 갈 길을 가니 개의치 않는다.

남자는 누구를 만나든, 어떤 이야기를 나누든 자신의 허물만 보려 한다.

대부분의 허물은 에고의 자각을 필요로 한다. 자각하면 허물이 허물 벗듯 흔적 없이 녹는다. 녹은 즉 다시 살아나고, 또 살아난다. 살아나서 부처의 얼굴로 가기도 하지만, 더욱 기교적인 에고로 변장을 하기도 한다. 살아 있으니 에고의 꽃이 마음 밭에 만발하여 피는 것이다. 쓰다듬어 주고, 밀어내지 않는다. 주저앉아 회심할 뿐.

남자는 이제 사람을 많이 만나지 않고도, 무엇인가 일을 새롭게 도모하지 않아도, 일상의 담담한 맛을 누릴 수 있다.

언어에도 집착하지 않는다. 언어는 뜻을 전하는 전령일 뿐, 뜻만 취하고 나면 버린다. 그러니 말로 꼬리를 잡아 다툼할 일도 줄어든다.

실상實相을 언어로 표현한다는 것은 애초에 무모한 짓이다. 언어는 실용적인 도구일 뿐, 자칫 전도몽상의 수렁에 빠지기 십상이다. 언어로 표현하면 할수록 실상은 힘을 잃고, 파편화된다. 자각하여 생생한 지경에는 언어가 붙을 자리가 없다. 그간 얼마나 언어를 못살게 굴고, 화려한 환幻의 꽃을 피웠는가. 남자는 자각하여 무심할 때만이 언어가 제 길을 찾아 온전한 힘을 발휘한다는 것을 안다.

남자는 해가 진 시민박명이면 서서히 하루를 마감한다. 하루의 마지막으로 텃밭과 살아 있는 것들에게 물을 주고, 하루의 몸을 씻는다.

밝지도 않고, 그렇다고 어둡지도 않은 박명의 시간, 30분이 지나고 나면 언어로써 항해박명의 시간대다. 개념의 언어들을 타고 논다. 항해박명이라는 개념을 말이다.

하늘에 밝은 별들이 고개를 내민다. 아직은 지평선이 보일 만큼의 빛이 남아 있다. 사위는 조용해지고 이따금 놀던 아이들을 부르는 엄마들의 목소리가 별처럼 아늑하다. 해가 지고 한 시간 반 정도가 지난 뒤를 부르는 이름, 천문박명이다. 대부분의 별을 볼 수 있는 시간이다. 본격적인 밤이 펼쳐지며 부엉이가 날기 시작한다.

남자는 하루를 마감한다. 태양에 데워져 온기가 있는 마룻바닥에 머리를 대고 기도한다.

'감사하고 또 감사합니다.'

남자는 자명종 알람 시간을 1분 늦춘다. 내일 아침이면 본

격적인 무더위가 시작되는 소서小暑다. 소서의 시민박명 시간인 새벽 4시 38분에 정확히 일어날 것이다.

남자는 완전히 밝지도, 그렇다고 어둡지도 않은 박명의 시간을 좋아한다. 완전한 지혜의 태양이 일출하지 않은, 빛이 이제 막 뿌리내리기 시작하여 서서히 번지는 시간이거나 빛을 완전히 잃지 않은 시간, 박명薄明.

완전히 밝아진 성인을 흉내 내기보다는 적당한 속물 끼와 자각해야 할 인간적인 에고를 사랑하는, 약간의 어둠이 섞인, 하지만 빛을 끝내 잃지 않는,

박명의 인간.

이제 눕는다.

내 여자의 젖무덤

"아부지, 아직도 엄마 젖이 필요하세요?"

아들의 물음에 김천만 씨는 아무 말이 없었다.

"아빠, 증말 주책이야. 적은 연세도 아니고⋯ 엄마 젖이 아빠 꺼도 아니고⋯ 참⋯ 아빠도 못 말려 증말⋯."

시집간 큰딸의 책망에도 천만 씨는 미동도 하지 않았다. 방바닥만 뚫어져라 바라보던 천만 씨가 입을 열었다.

"내⋯꺼다."

자식들의 압력에도 천만 씨의 입장은 단호했다.

"그게 왜 아빠 꺼야. 엄밀히 따지면 엄마 젖은 우리 자식꺼지. 우리 밥통이었는데⋯ 빨고, 가지고 놀구⋯ 베개도 되구, 잠잘 때는 자장가구⋯."

"난 아홉 살 때까지 엄마 젖 먹었어. 누나는 나 때문에 한일 년밖에 가져보지 못 했잖어⋯정확히 말하면, 내가 제일 아쉬울 사람이지!"

천만 씨가 조용히 입을 열었다.

"난… 39년째다…."

심각한 천만 씨의 말에 남매는 울어야 할지, 웃어야 할지,
이 난국을 어떻게 풀어야 할지 난감했다.

"지금 우리가 엄마 젖 가지고 다툴 때야? 엄마는 지금 병
실에서 그렇게 고생하고 있는데!

제발 냉정하게 좀 생각해 보세요. 우리가 빨리 결정을 내
려야 의사 선생님도 빨리 수술을 하실 수 있다잖아요."

천만 씨는 삼 일째 잠을 못 이루었다. 밥 생각은 아예 없었
다. 느는 것은 담배고 한숨이었다. 39년을 함께 한 마누라의
젖을 도려낸다고 생각하니 이만저만한 큰일이 아니었다. 남
들의 유방암 수술은 참 안쓰럽고, 잘 되었으면 하는 바람 정
도였지만, 막상 자신에게 그 일이 닥치고 나니 가슴이 쪼개
지고, 집안 기둥이 무너져 내리는 일이었다.

"아직 초기여서 약물로 좀 치료하고 방사선도 하면 되지
않것냐? 또 니 엄마도 안 할라고 할거이고…."

천만 씨의 눈에는 힘이 들어갔지만, 왠지 목소리에는 기운
이 없었다.

"젊으면 안 할 수도 있겠지만, 엄마는 연세도 있고 더는 젖
먹을 아이가 있는 것도 아니고… 솔직히 말해서 유통기한이

다 지났잖아요."

큰딸의 단언에 천만 씨는 발끈했다.

"니그들한테나 지났지! 하여튼 난… 아직 무기한이다!"

남매는 당혹스러웠다. 자식들 앞에서 부끄러운 기색도 없이 자신의 입장만 계속 주장하는 아빠가 야속했다.

"확실하게 가슴을 절제해야지만 앞으로도 안심하고 살 수 있다잖아요. 재발이 되면 어떡하시려고요."

큰딸의 타박에 천만 씨는 이빨만 꽉 깨물 뿐이었다. 아들도 다시 누나의 말을 거들었다.

"엄마야 우리가 설득하면 되는데… 문제는 아부지가 허락을 안 하시니까 엄마도 미안해서 절제를 안 한다고 할 거라는 거죠. 아빠가 유난히 엄마 젖에 집착을…"

'집착'이라는 말에 큰딸이 남동생의 허벅지를 꼬집으며 눈치를 줬다.

"얘 말은 엄마 젖가슴을 아빠가 너무 많이 사랑해서 그런다는 거예요. 이제 엄마 가슴은 엄마 판단대로 하시게 놔두세요. 네?"

"글쎄, 네 엄마도 안 자른다고 할거라니까! 안 짜른다고! 안 짤라!!"

천만 씨는 급기야 꽥 소리를 지르고 말았다. 남매는 아빠의 고함에 주섬주섬 일어나 방문을 열고 나가버렸다.

천만 씨는 눈물이 툭툭 떨어졌다.

아버지의 산소 앞이었다. 하필이면 아버지의 둥그런 산소가 젊었을 적 마누라의 젖무덤과 똑 닮게 보였다. 마누라의 젖무덤을 앞에 놓고 보니 어린 시절이 떠올라 미처 막을 새도 없이 눈물이 흘러내렸다. 천만 씨는 아버지의 무덤 앞에 놓인 사발에 담긴 소주를 거칠게 들이켰다.

"아버지… 아버지 며느리가 유방을 들어내야 한다네요. 내참… 어미 복은 없어도 마누라 복은 있다고 생각했는데… 이게 무슨 지랄 같은 일이랍니까…. 아버지가 어떻게 꿈에라도 나타나서 병 좀 고쳐주시고 해보십쇼. 내 마누라 가슴에는 손대지 말고요…. 아무리 아버지지만 내 마누라 젖통은 내꺼 아닙니까…. 죄송합니다 아부지…."

아버지는 천만 씨에게 엄마를 다섯이나 바꾸어주었다. 하지만 천만 씨가 공부를 끝마칠 때까지 당신의 품 안에서 내치지는 않았다.

"지금 다 듣고 계시지요… 마누라 젖통 하나 가지고 질질 짠다고… 못난 놈이라고 욕하는 거 지금 다 들립니다. 아버지는 마누라 젖통도 여럿 겪어보셔서 아쉬운 게 없으셨겠지만… 저는 하나밖에 없으니… 저는 그거 하나로도 황송하고 넘치게 충분합니다… 그러니 너무 욕하고 그러지 마십쇼. 아버지…."

천만 씨는 다섯 살 무렵에 첫 번째 새엄마가 생겼다. 자신과 동갑인 아들을 데려온 엄마였다. 새엄마는 참 고왔다. 천만 씨에게도 참 잘해주었다. 그렇지만 잊히지 않는 서러움은 어쩔 수 없었다. 어느 날, 나무 부엌문을 열고 들어가니 부뚜막 앞에서 친 모자간에 오순도순 누룽지를 먹여주던 모습 하며, 햇살 좋은 날 마루에서 낮잠을 잘 때면 감히 친아들의 손처럼 새엄마의 가슴을 아무 때고 철없이 파고들지 못했던 일 하며…

언젠가는 그 아들을 흉내 내느라 잠에 취한 척, 슬쩍 새엄마의 가슴을 파고들었지만, 불편하게 몸을 빼서 돌아눕는 엄마의 그 절벽 같던 등짝을 잊을 수 없다. 얼굴은 새빨개지고, 아주 작아져서 사라져 버리고 싶었던 그 부끄러움. 중학생 손자를 둔 할아버지가 된 지금도 얼굴이 달아오른다. 그날 이후로 새엄마는 엄마가 아니고 여자였다. 그리고 어떤 새엄마가 오더라도 젖을 욕심내는 따위의 허튼 꿈은 꾸지 않았다.

천만 씨는 마누라와 결혼하기 전 여자들을 만날 때면 가

습부터 보았다. 작고 볼품없더라도, 절대 돌아눕지 않을 가슴을 가진 여자인가부터 확인하고 교제를 시작했다. 어쩌면 지금의 마누라를 만나기 전까지, 천만 씨가 찾아 헤맨 것은 관세음보살 같은 무조건적인, 변함없는 온기였는지 모른다.

빨고 주무르고, 기댈 젖을 갖지 못했던 몸만 커버린 사내의 서러움.

결혼 첫날밤에도, 친구들의 장난에 술이 떡이 되어 제대로 일은 못 치렀지만, 아침에 일어나 보니 마누라의 젖가슴은 꼭 쥐고 있었다. 가만히 있어주는 것만으로도 천만 씨는 마누라가 오지게 예쁘게 보였다.

"아빠, 밥은 해놨고 빨래는 널어놨으니까 아빠가 걷어 놓기만 하면 돼요."

큰딸의 전화였다. 평생 빨래 한번 돌려보지 않은 천만 씨는 마누라가 없으니 이만저만 불편한 게 아니었다.

천만 씨는 무심코 빨래를 걷다가 우뚝 멈추어 섰다. 마누라의 하늘색 브래지어였다. 보풀이 일어 바람에 흔들리고, 그 밑으로는 휘어진 와이어가 날카롭게 튀어나와 있었다. 기억도 가물거릴 만큼 아주 오래전, 생일 선물로 함께 가서 산 것이었다.

천만 씨는 곧 설사가 나올 것처럼 가슴이 싸르르하게 아려왔다. 처음 걸어보는 마누라의 속옷을 손에 들고 멍하니 바라보았다. 휘어진 와이어 철사가 천만 씨의 가슴을 쿡쿡 찔렀다. 마누라의 젖가슴을 좋아할 줄만 알았지, 감싸고 보호해줄 줄은 몰랐던 미련거지발싸개밥통 같은 남편.

혹시 마누라의 인생이 자기를 만나 휘어버린 와이어 팔자가 돼버린 건 아니었을까?

병원 회복실이었다.

아내가 천만 씨를 찾았다. 아내는 아무 말도 못하고 천만 씨를 바라보았다.

천만 씨가 쭈뼛쭈뼛 시선 둘 곳을 찾지 못했다.

"엄마, 아빠가 엄마 수술하느라 고생했다고 선물까지 사오셨는데…"

천만 씨가 큰딸을 계면쩍게 노려보고는, 포장된 선물을 마누라의 가슴에 올려놓았다.

"별일이네…선물도 다 받아보고…"

마누라의 말에 천만 씨는 쓴 입맛을 다시며 텅 비어 있을 아내의 가슴을 슬쩍 훔쳐보았다.

그때, 큰딸이 아빠의 선물을 풀어보고 기겁을 했다.

"아빠, 이게 뭐야! 방금 가슴 수술을 한 사람한테 눈치도 없이 이런 걸 해주면 어떡해!"

큰딸의 타박에 천만 씨는 뒤돌아 나가며 아내에게 한마디 툭 던졌다.

"남자가 여자 젖가슴을 하루에 1분만 봐도 수명이 5년은 늘어난다는데… 이제 다 글러 버린 이야기가 됐구만… 제기럴… 유명한 독일 박사가 그랬다는데…."

아내가 진분홍색 브래지어를 만지며 큰딸에게 말하는 소리가 천만 씨의 귀에까지 들렸다.

"눈치 없는 위인이니까… 이렇게 쭈그러진 젖가슴도 이때끔 좋아했지…. 난 진분홍색이 좋기만하다야… 아이구 참 좋네!"

빨래를 걷을 때 보았던, 보풀 밑으로 튀어나온 와이어가 뒤돌아선 천만 씨의 눈시울을 자꾸 쿡쿡 찔러댔다.

바다로 간 공양주

태어나서 단 한 번도 바다를 본 적이 없었다.

능소사의 공양주 연당화 보살은 세상에 나온 지 75년이 되었다. 그중에 55년을 절 공양간에서만 살았다. 20살 처녀 나이에 할머니의 손에 이끌려 능소사에 들어왔다.

"끝순아, 너는 절에서 살지 않으면 30살을 못 넘기고 죽는단다. 당골네가 그랬으니 틀림없는 말이여. 아무리 서러워도 꾹 참고 살아야 한다."

끝순이, 연당화 보살은 그 말을 남기고 떠난 할머니를 다시는 보지 못했다. 위로 언니 셋이 있었지만 모두 타지로 취직한다고 떠난 후로 역시 얼굴을 보지 못했다.

능소사의 덩그러니 버려지듯 홀로 남자 무섭증이 일고, 밤마다 외로움에 떨어야 했다. 그때마다 막내라고 유난히 예뻐해 주시던 아버지가 떠올랐다. 끝순이가 울기만 하면 아버지는 잘 업어주셨다. 아버지의 큰 등판은 바다처럼 넓었고,

등에 귀를 붙이고 있으면 뱃고동 소리 같은 심장 소리가 들렸다.

한 번도 바다를 본 적이 없었지만, 아버지가 해주시던 바다 이야기는 끝순이의 심장을 뛰게 했다. 남들은 아버지를 뱃놈이라 술 처먹고 망나니짓을 한다고 수군댔다. 하지만 끝순이는 아버지를 찬란한 바다와 같은 남자로 기억한다.

20살 처녀 몸으로 공양주 소임은 쉽지 않았다. 신도들이 오면 밝은 얼굴로 맞이하고, 보리밥이 없으면 고구마라도 내주어야 하는데, 공양간 문을 걸어 잠그고 숨어버리기 일쑤였다. 주지 스님도 32살의 젊은 비구승이라 정분이라도 날까봐 그랬는지 노보살들이 고운 눈으로 보지 않았다.

"연당화 보살, 절의 얼굴은 주지보다 공양주가 우선입니다. 아무래도 주지는 신도들이 어려워하지만 공양주는 언니 같고 엄마 같아서 얼마든지 신도들의 마음을 헤아려줄 수 있거든요. 연당화 보살이 이 절을 창건한 회주 스님이라고 생각하고 신도들을 맞이해야 합니다."

연당화는 주지 스님의 말을 듣고 깜짝 놀랐다. 밥이나 짓는 부엌데기가 감히 회주 스님이라니….

"공양주 보살이 한을 품고 독이라도 넣으면 저는 금방 죽고 맙니다. 신도들을 멀리하면 개미 한 마리 능소사에 오려고 하지 않아요. 그럼 저나 연당화 보살이나 굶어 죽는데, 이 절 망하는 것은 순식간이지요. 망하고 흥하는 거는 연당화 보살 손에 달려있지 않겠어요? 그러니 회주 스님과 다를 바가 뭐가 있겠어요?"

연당화는 누구 말대로 자신이 우울증과 대인기피증이 있는가 돌아보았다. 법당 청소를 홀로 하다보면 대웅전 부처님이 그렇게 무서울 수가 없었다. 가느다랗게 뜬 눈은 자신의 속을 다 들여다 보는 것 같았고, 한 손을 들고 있는 모습은 어렸을 적 술 취한 아버지가 휘두른 손과 같이 뺨이라도 올려붙일 것 같이 보였다.

공포스러웠다. 이마에 어머니가 들어앉아 있는 관세음보살도 두려웠다. 자신을 낳다가 죽은 어머니에게 늘 죄스러웠기 때문이었다. 마주 쳐다보지 못하고 청소만 빨리 하고 뛰쳐나오듯 법당을 나오기가 일쑤였다. 법회는 늘 바쁘다는 핑계로 되도록 참여하지 않으려 애를 썼다.

연당화는 자신에게 문제가 있다는 것을 인정해야 했다.

"음식을 정성껏 만들어 대중들에게 공양시켜주는 것은 무한한 자비심 없이는 안 됩니다. 그래야 연당화 보살이 쌓은 공덕으로 부모님도 천도되는 거지요. 어쩌면 스님들은 자신들의 깨달음을 위해 살지만 우리 공양주 보살은 남을 위해 사는 겁니다.

연당화 보살이 없으면 저는 깨달음은커녕 굶어 죽습니다. 지금 능소사에는 다른 공양주 보살이 오려고 하지 않아요. 저 또한 연당화 보살말고는 다른 공양주는 생각도 하지 않고 있어요. 그러니 내일부터라도 부처님이 무서우면 얼굴을 쳐다보지 말고 아침 공양 짓기 전에 108배 만이라도 꾸준히 해보세요."

젊은 주지 스님은 중생심에서 허우적대는 연당화를 구제하고 싶었는지, 늘 응원하고 보호해 주었다. 다른 보살들의 불만에도 연당화를 내치지 않았다.

언젠가 주지 스님이 전염병에 걸려 생사를 오갈 때, 연당화는 일주일을 꼬박 새워가며 스님을 지켰다. 완쾌된 주지 스님은 아무도 할 수 없는 일을 해주었다며 고마워했다.

"우리 공양주 보살의 소원이 무엇인가? 내 그 소원을 들어주겠소."

"저는 죽을 때까지 능소사에서 밥 짓는 일을 하는 것이 소원입니다."

"그것은 다 시절인연이니 하늘에 맡깁시다. 혹시 한글 공부라도 해보겠소?"

"싫습니다. 정 소원을 들어주고 싶으시다면… 바다 구경 한번 해보고 싶습니다."

"바다?"

주지 스님은 놀란 표정이었다.

뜬금없이 바다라니…. 그럼에도 쾌히 보내주시겠다며 기차 표를 예매해주시고, 여비까지 든든히 주었다. 그러나 떠나기로 한 당일 날 연당화는 아이처럼 가지 않겠다고 떼를 썼다. 이날 아침 거의 화라고는 모르던 주지 스님이 화를 버럭 냈다. 그러려면 능소사에서 나가라고 소리를 쳤지만, 연당화는 꿈쩍하지 않고 점심 공양 준비를 위해 공양간으로 향할 뿐이었다. 연당화의 뒤꼭지를 보고 주지 스님은 고개를 절레절레 흔들었다.

75살의 연당화가 드디어 55년 만에 용기를 내어 바다를 가려 했다. 연당화와 함께 늙어 이제는 노스님이 된 주지 스님은 껄껄껄 웃었다.

"내가 당신과 55년을 함께 보냈소. 그런데 부처님보다 어려운 게 바로 당신이라는 사람이요. 세월이 쌓여 이제는 알 만큼 안다고 생각했는데도 역시 당신은 화두보다 더 알 수 없는 행동을 한단 말이요. 도무지 속내를 알 수가 없어… 어쩌면 당신이라는 보살을 보내 내 수행을 더 단단히 하게 하려는 부처님 뜻인지도 모르지.”

“죄송합니다. 스님….”

“그러면 같이 갑시다. 바다…. 내 죽을 날도 얼마 남지 않았는데 부부처럼 손 꼬옥~ 잡고 여행 한 번 갑시다.”

주지 스님의 말을 들은 연당화는 깜짝 놀랐다. 아무리 나이를 먹어도 주지 스님은 늘 어려운 분이었다. 그러나 여전히 고지식하고 헐벗은 자신을 품어주셨다. 가슴이 콩닥이고 얼굴이 붉어졌다.

바다를 간다는 생각과 부부처럼 손을 꼭 잡고 가자는 노스님의 말씀이 머리를 떠나지 않았다. 연당화는 간밤을 꼬박 새우고 말았다.

노스님의 상좌가 모는 차를 타고 동해로 달렸다.

“바다는 처음이지요? 하기사 절 밖을 나가는 것을 보지 못했으니 처음일 수밖에…. 그런데 젊은 시절에 보내 준다고 했을 때는 왜 뺐을꼬? 그렇게 구경 한번 해보고 싶던 곳인데?”

“스님… 제가 좀 이상한 공양주지요?”

“아냐. 그렇게 말하면 부처님은 더 이상한 분이지. 남들 다 좋아하는 왕자 자리도 박차고 나오고 돈도 멀리하고, 평생 길에서 살다 길에서 가신 분이니… 연당화보다 이상해도 훨씬 이상한 분이시지… 그래도 연당화는 부처님보다 나아…."

노스님의 농담 같은 말씀에 연당화에 얼굴에 멋쩍은 미소가 돌았다.

"곧 도착합니다. 큰스님"

운전을 하던 상좌의 말이었다.

열어놓은 차창으로 갯내음이 물씬 풍겼다. 연당화는 그 향기를 기억한다. 가슴이 벌렁거렸다.

멀리서 사막 같기도 하고, 커다란 산등성이 같기도 한 짙푸른 별세계가 연당화의 가슴으로 밀려들었다. 연당화는 가슴이 떨려 눈을 질끈 감고 말았다.

상좌는 모래밭을 뚫고 바다 근처에 차를 세웠다.

"허허 참, 눈을 뜨시오. 당신이 그렇게 보고 싶던 바다요 바다!"

연당화는 가슴이 터질 것 같았다. 아마 결혼을 한 첫날밤도 이렇게 떨리지는 않았을 것이다. 호흡이 가빠진 연당화를 지긋이 바라보던 노스님이 다시 입을 열었다.

"자, 우리 바다에 한 번 풍덩 빠져 봅시다."

상좌가 차 문을 열어주었다. 노스님은 연당화에게 손을 내밀었다.

　연당화는 차마 그 손을 마주잡지 못했다.

　"내 마누라가 된 것처럼 내 손 한 번 잡아보소."

　노스님이 빙긋이 웃었다.

　"연당화 보살님 어서 큰스님 손을 잡으세요. 스님을 부축해드려야 스님도 바다를 구경하시지요?"

　상좌가 말을 거들었다.

　"예끼 이놈아, 나 혼자서도 저 정도면 충분히 갈 수 있어. 난 내 마누라 손을 잡고 싶은 거래도…"

　연당화는 얼굴을 옆으로 돌리고 망설이고 망설이다 겨우 노스님의 손을 잡았다.

　바다와 노스님이 한꺼번에 밀려들었다.

　기절할 것만 같이 머리가 아득해졌다.

　75년 평생 이렇게 가슴이 떨리고, 다리가 휘청이는 것은 처음이었다. '이 나이에…' 라고 여러 번 되뇌었지만 소용없었다. 부끄러움은 나이를 먹지 않는다. 마음은 흐르는 세월과는 남남인 사이였다.

　손을 꼭 잡은 노스님과 연당화는 바다를 향해 걷기 시작했다.

햇살을 받아내는 바다는 눈을 뜨고 바라볼 수 없을 만큼 찬란했다. 연당화는 이곳이 극락인지 꿈속인지, 걷고 있는 것인지 누워 있는 것인지 분간할 수 없을 만큼 머리가 아찔했다.

　바다에 다가갈수록 아버지의 냄새가 났다. 작업복을 입고 자신을 업어주던 아버지의 등에서 풍기던 향내였다.
　연당화가 젊은 시절 바다를 가겠다고 결심한 그즈음, 아버지가 탄 배가 침몰했었다는 소식을 뒤늦게 알게 되었다. 그때 바다 같은 것은 다시는 안 보겠다고 결심했다.
　그렇지만 죽을 때까지 아버지의 등판을 닮은 바다를 보지 않으면, 20살 어린 공양주 처녀에서 영영 벗어나지 못할 것 같았다. 아니 마지막으로 끝순이가 되어 아버지의 등에 다시 한 번 꽁꽁 매달리고 싶었다.

　이제는 노스님에게서 아버지의 바다 향기가 났다.
　자신이 손수 한 밥을 먹인 아버지 같기도 하고…
　남편 같기도 한…
　노스님의 향기가…
　연당화의 코끝에 매달려 물씬하게 흔들렸다.

내 청춘의 관세음보살

그였다.

틀림없이 그가 맞았다.

심장에 맷돌을 떨어트린 것 같은 통증이 몰려왔다. 항아리 밑창이 빠져 버리기라도 한 듯, 땅은 꺼져 내리고 두 다리는 후들거렸다.

수현은 그에게서 눈을 뗄 수 없었다. 법상에 오른 그는 긴 머리 대신 회색빛 도는 삭발이었고, 청년 시절 즐겨 입던 흰색 면티와 청바지 대신 헌 누더기 조각을 군데군데 기운 납의 차림이었다.

선재. 그는 수현의 젊은 날을 온갖 빛깔로 물들여 놓았던 단 하나의 남자였고, 햇살이었다. 그런 그가 운수납자가 되어 법을 설하기 위해 수현 앞에 모습을 드러낸 것이다. 수현은 이제 한창 부처님 법에 맛을 들였고, 너무 늦게 불법과 인연이 된 것이 안타깝다고 생각하던 차였다. 참선 수련을 위해 1박 2일의 템플스테이에 참가했는데 여기서 그를 만나게 될 줄이야….

"반갑습니다. 참선은 나를 믿는 공부입니다. 내가 부처라
는 사실을 믿는 것입니다. 내 눈에 가려진 것만 자각하면
그 자리 그대로 드러나는 것이 불성이고, 하나님인 것이
죠. 우리의 머리카락이 절로 자라고, 먹은 음식이 위장 속
에서 절로 소화되는 것, 누가 가르쳐주지 않았는데도 세
상만물과 함께 돌아가면서 스스로 그러하게 되어가는 신
성한 능력. 이것이 신의 조화이고 불성인 것입니다. 참선
은 불성을 참작하는 것입니다. 절대 어렵지 않습니다."

17년 만이었다. 그러나 그를 잊은 적이 없었다. 언제나 외
출을 할 때면 그를 느닷없이 마주치게 될까봐 화장하는 것
을 게을리하지 않았다. 언제 어디서 만나더라도 추레한 모습
으로 그를 실망시키기 싫었다. 외모에 정성을 기울이는 것은
그에 대한 최소한의 예의였다.
　지금도 모든 노래의 가사는 그와 자신을 위한 노랫말이었
고, 남자와 여자가 등장하는 모든 영화 역시 두 사람의 이야
기였다. 맛있는 것이 앞에 놓이면 여지없이 떠오르는 사람은
역시 선재였다.

"선방에 오래 주저앉아 있다고 해서 참선이 아닙니다. 길을 잘못 들면 수십 년을 참선해도 장판에 때만 쌓는 것이지 시간 낭비입니다. 한 치의 변화도 경험할 수 없습니다. 경계가 닥치면 바람 앞에 모래성처럼 흩어지고 맙니다. 참선을 모르는 사람보다 더 거만해지고, 고집만 세집니다. 마음의 평화는 생각으로 가져다가 우격다짐으로 머리에 끼워 넣는 것이 아닙니다. 참선을 제대로 하면 팔정도는 그냥 따라오는 것이기 때문에 마음의 평화는 저절로 깃드는 것입니다. 참선해야겠다고 결심을 하면 할수록, 잘하려고 들면 들수록 그르치는 것이 참선입니다."

한 사람을 가슴에 품는다는 것은 끔찍한 일이었다. 세월이 아무리 흘러도 가슴에 불로 그려진 기억은 언제나 눈앞에 살아 숨 쉰다. 사랑 말고도 할 일이 많다지만 수현에게는 불가능한 이야기였다. 괴로우면서도 생기를 불러일으키는 묘한 애증. 그것이 수현의 옛사랑이었다.

마흔한 살. 그동안 서너 명의 남자와 사귀어 보았지만, 자신도 모르게 선재가 잣대가 되어 그들을 바라보고 있었다. 모두 인연이 아니었다. 선재를 숱하게 떨쳐버리려고 노력했지만, 이내 무모한 짓이라는 것을 인정한 후로, 차라리 그를 품어버리기로 했다.

그를 떠올리면 환한 햇살이 비춘다. 수현의 주름진 세상살이를 펴주는 햇살 다리미가 그였다. 그런 그가 이제는 선재가 아니라 춘몽 스님이라 불렸다.

춘몽 스님은 수현을 알아보지 못했다. 수현은 자신과 눈이 마주쳐도 미동도 하지 않는 춘몽 스님을 보고 억장이 무너졌다. 눈물 나게 서운했다.

"이 뭐꼬? 화두를 궁구해보세요. 생각으로 수수께끼 풀듯 하지 마시고, 궁구하는 것입니다. 하늘의 섭리와 연결된 자신의 불성에 대한 올바른 믿음 없이, 화두라는 말에 속아 머리로 짜내면 천리만리 밖으로 벗어나는 짓입니다. 화두는 일부러 드는 것이 아니고, 무심할 때 시작되는 것입니다."

그때였다. 실참을 하기 위해 좌복 위에 앉아 있는 수현의 어깨에 죽비가 올려졌다. 춘몽 스님이 든 죽비였다. 참선 강의 내내 부처님은 저만치 돌아 앉아있었고, 실참이 시작되어서도 무심보다는 오직 선재였던 춘몽 스님과의 옛 추억에 흠뻑 빠져있던 수현이었다.

"난 이해할 수가 없어. 천재라거나 위인이었던 사람들은 하나같이 정신병자거나 불우한 죽음을 맞거든? 아니면 전쟁을 일으켰거나, 권력욕 때문에 수없이 사람을 죽였고… 그런데 왜 우리가 그들을 본받고 존경해야 하지? 그야말로 에고와 자신의 어두운 그림자 속에서 발버둥치다 간 사람들인데 말이야. 나는 이런 세상 논리를 받아들일 수가 없어."

청춘이었던 선재가 열변을 토했다.

"세상 논리를 받아들일 수 없다면 앞으로 어떻게 살 건데?"

무모한 고민을 하는 선재가 안타까웠던 수현이 되물었다.

"최소한 그런 논리로 이루어진 이 세상과는 타협하지 않을 거야. 딱 한 번 사는 인생인데 미친 세상을 위해 시간 낭비하며 살 수는 없잖아!"

그런 그가 선택한 것이 지금, 눈앞에서 죽비를 들고 있는 삭발염의의 남자였다.

타타타 탁탁탁.

수현의 어깨에 죽비로 연결된 춘몽 스님의 기운이 전해졌다. 순간, 수현은 선재와 처음 입을 맞추었던 그날의 뭉클하게 떨렸던 기억이 날카롭게 스쳐 갔다. 그리고 선재는 학교를 졸업하고 군대로 떠났다. 2년간의 죽어도 좋을 만큼의 사랑 노래는 거기서 그치고 말았다.

다음날, 수현은 템플스테이를 함께 한 도반 몇 명과 함께 춘몽 스님과 차담 시간을 가졌다.

"참선을 하면 집착이 떨어져 나갈까요?"

한 도반이 물었다.

"떨어져 나간다는 것이 어떤 상태인지 아십니까?"

춘몽 스님이 도반에게 다시 물었다.

"음… 집착하는 대상이 더는 생각이 안 나는 것이요."

"우리의 생각이 하루에 2만 번쯤 변한다는 사실을 아십니까? 잠시 물러났던 그 생각은 다른 모습으로 위장하고 악착같이 다시 달려들지 않을까요? 생각을 이기려 드는 것이 가능할까요?"

"그럼 스님은 집착이 떨어져 나가게 하려면 어떻게 해야 한다고 생각하세요?"

"집착 위에 그냥 퍼질러 앉아 버리는 것입니다. 집착도 부처님입니다. 집착 없이는 자각도 없고, 부처님도 없는 것입니다. 집착이라고 개념화시켜놓은 언어에 속지 마시고, 나쁜 것이라고 판단 내리지도 마세요. 다만 집착하는 바로 그 마음이 부처 마음이기 때문에 부처는 한시도 나와 떨어져 본 적이 없다는 믿음을 가지세요.

참선하는 사람은 집착에 철썩 달라붙어 있더라도 그 집착이 부처님 마음이라는 믿음 때문에 틈을 만들 수 있어요. 그럼 곧 집착심과의 틈이 점차 벌어지면서 스스로 물러 떨어져 나갑니다. 어느새 무심이 찾아오게 되지요. 집착의 멱살을 잡고 내리누르려 하지 마세요. 멱살을 잡는 순간 이미 집착심에 물들어 버리는 것입니다. 절대 이기지 못합니다."

춘몽 스님의 눈빛이 수현의 눈동자에 가만하게 머물렀다. 수현은 무슨 말인가를 해야 할 것 같아서 입술을 달싹였지만, 바짝바짝 입술만 타들어 갈 뿐, 한마디도 토해내지 못했다.

템플스테이 과정을 마치고, 배낭을 멘 수현이 뒤엉킨 머리를 안고 일주문을 막 나서던 참이었다. 언제 나왔는지 등 뒤로 춘몽 스님의 목소리가 들렸다.

"잠깐만요 수현 씨. 섭섭했습니까? 당신은 내가 아는 사람 중에 가장 따뜻했던 사람입니다. 젊은 날에 당신과 사랑을 경험해보지 못했더라면 저는 중 생활 오래 못하고, 환속해 버리고 말았을 겁니다. 당신은 내 청춘의 관세음보살이었습니다. 당신을 위해 늘 기도드리겠습니다."

수현의 귀에서는 윙윙~ 벌이 날아드는 소리만 들렸다. 일주문에서 막 발걸음을 옮기려는 순간, 발을 헛디뎌 고꾸라질 뻔했다. 가까스로 중심을 잡고 나니 벌의 날개짓 소리가 더는 들리지 않았다.

수현은 뒤돌아보지 않았다.

그가 자신의 뒷모습을 오래도록 바라볼 것이다.

그에 대한 독한 집착이 부처님으로 향하는 또 다른 길이었다는 사실이 어슴푸레하게 수현의 가슴을 채웠다.

수현은 가만히 입술을 움직였다.

당신 또한…

내 청춘의 관세음보살… 관세음보살… 관세음보살… 관세음보살… 이었음을….

3막 가을,

살맛이 날 때

악착동자

쓸쓸했다.

평생 된바람 앞에 촛불처럼 불안했고 외로웠다. 그럴수록 더 열심히 일했다. 외롭지 않으려고 더 뛰었고, 허한 마음이 싫어 회사 일에 몰두했다. 본인에게는 '열정'이었고, 남들에게 는 '모범'이었다. 그런데 사람들이 악상惡喪이라 불렀다.

악상.

'악착齷齪' 같았던 인생의 마지막 수식어,

49세, 그 흔한 학생부군신위學生府君神位 인생.

남자는 영안실에 모셔져 있는 자신의 얼굴을 들여다보았 다. 어두운 적갈색이었다. 몸뚱이는 어느새 수분이 말라 까 칠한 나무껍질이었고, 눈은 동공의 빛을 잃고 희뿌옇게 보였 다. 허벅지 뒤쪽에 자줏빛 반점이 눈에 띄었다. 시반이었다.

남자의 시신은 자연 낚시터에서 의자에 앉은 채로 발견되 었다. 낚싯바늘에는 용을 닮은 장어가 걸려 있었다. 푸드덕~

푸드덕~ 장어는 죽지 않으려고 용틀임을 하고 있었지만, 막상 남자는 장어를 거두지 못했다.

죽은 지 이틀이 지나도록 '갑작스럽고 이유를 알 수 없는 죽음'을 맞은 남자를 아무도 발견하지 못했다. 그 탓에 허벅지와 종아리에 시반이 두드러지게 많이 남았다. 오랫동안 앉은 자세로 홀로 황천 강을 건넌 것이다.

아무도 낚시터에서 좌탈입망한 남자를 들여다보지 않았지만, 파리들은 어느새 식어가는 피의 냄새를 맡고 달려들었다. 파리라고 해서 아무 놈이나, 아무 때나 막 달려드는 것은 아니다. 먼저 사람의 더운 피를 좋아하는 청파리가 날아들었다. 남자의 숨이 떨어지고 짧은 시간 안에 몰려왔다. 썩는 냄새가 퍼질 때 즈음 청파리가 날아가고, 금파리가 달려들었다. 썩어가는 고기를 즐기는 금파리가 남자의 몸 곳곳을 공양하는 동안, 쉬파리가 다음을 준비한다.

어느새 금파리와 쉬파리는 업무 이양을 하고, 쉬파리가 남자의 몸에 엉겨 붙는다. 파리들은 몸뚱이 구석구석 습하고 시즙屍汁이 흐르는 곳에 알을 낳고 새로운 탄생을 기대한다.

흙으로 다시 돌아가야 하는 한 생명의 거대한 의식 순서에 따라 파리들은 정확히 올 때 왔고, 떠나야 할 때 떠났다.

다른 녀석들의 잔치 순서에는 함부로 무례하게 끼어들지 않는다.

남자는 그나마 다행으로 형체가 보존된 자신의 몸뚱이를 일별하고 장례식장으로 향했다.

영정 속에 남자는 입이 벙글어지게 웃고 있다. 남자는 영정 속에 자신이 참 행복하게 보였다. 그런데 다른 사람처럼 보였다. 그 웃음이 낯설었다.

어쩌자고 인생 최고의 행복한 표정을 영정 속에서나 짓고 있을까.

저게 언제였던가?

자신이 저런 웃음을 지었던 적이 있었던 말인가? 도무지 기억나지 않는다.

문득, 저 영정 사진 아래로 검은 한복을 입은 아내의 얼굴이 스쳤다. 고3 딸아이와 늦둥이 5살 아들 녀석이 뛰어다니는 것이 보였다.

남자는 찬바람 나게 뒤돌아섰다.

"그놈은 어디 간 거야 도대체! 이때쯤이면 나타나야 하는 거 아니야? 씨앙~"

남자는 자꾸 목울대가 뻐근해졌다. 제 몸에 구더기가 피

3막 가을,

는 모습은 봐줄 수 있었지만, 철없는 늦둥이 모습은 차마 더 볼 수가 없었다. 덩치 큰 누나가 자기를 쥐어박았다고 영정사진 속의 아빠를 애타게 부르며 사진 속의 아빠에게 진지하게 일러바치는 저 어린 것.

남자는 목울대로 침을 넘겼다. 치밀어 오르는 물기를 꾹꾹 밟았다.

"나 찾았수?"

저승차사였다.

"그간 이승에서 지은 죄를 낱낱이 고백해봐!"

명부의 재판관인 10명의 왕 중 다섯 번째 왕인 염라천왕의 독촉이었다. 염라천왕이 관장하는 지옥은 혀를 집게로 뽑아버리는 발설지옥이다. 자칫 헛소리하다가는 혀가 뽑힐 처지였다.

"저는 평생 죽도록 일만 하고 산 사람입니다. 처와 자식의 행복을 일 순위로 생각했고, 삼보에 귀의했고, 보시도 열심히 했을 뿐더러 방생도 셀 수 없이 많이 했습니다."

염라천왕은 두루마리에 남자의 진술을 하나하나 적기 시작했다.

"그래서 진정 크게 지은 죄가 없으시다?"

염라천왕이 가소롭다는 투로 되물었다. 남자는 이승에서 자신은 극락왕생할 것으로 철석같이 믿고 살았다. 그간 바쁜 회사 일 이외에는 온통 경전 읽기, 보시하기, 기도하기로 보낸 세월이었다.

"하늘을 우러러 떳떳하신가?"

염라천왕의 말에 남자는 찔끔했다. 막상 심판대에 올라서니 불안하기 짝이 없었다. 보이지 않는 곳에서 알게 모르게 지은 죄들이 얼마나 될까?

"업경을 들여보내거라!"

남자가 주저하는 모습을 본 염라천왕은 그러면 그렇지라는 표정으로 명령을 내렸다. 업경은 죽은 사람이 살아생전에 지은 모든 선악의 행동을 그대로 비추어 주는 거울이다. 망자를 주인공으로 하는 리얼 다큐멘터리라고나 할까.

"사실 저도 궁금합니다. 착한 짓을 더 많이 했는지, 나쁜 짓을 더 많이 했는지 말입니다. 차변 대변 딱 나누어 계산하면 흑자 인생이었는지 부실인생이었는지 답이 나오겠지요?"

"어허! 별놈 다 보겠구나. 어찌 됐든 좋다. 결과는 나올 것이고, 인과응보의 죄과에 따라 극락행인지, 지옥행인지 알 수 있으렷다!"

남자는 업경대에서 펼쳐지는 파노라마에 넋이 빠졌다. 어린 시절부터 지었던 선악만 편집되어 끝없이 비추어졌다. 핵심 부분만 따로 편집해놓은 고전 명작극장 같았다. 남자는 아련한 기억에 눈물을 짓기도, 항변하고 싶어 눈이 동그래지기도 했으며, 회한에 젖어 우울한 기분에 빠져들기도 했다.

하나하나 따져보니 죄 아닌 것이 없었다. 발정한 수컷의 몸으로 청춘이라는 면피용 당의정을 두른 채 행했던 음행, 객기로 알았던 도둑질, 무지해서 지은 살생 등 몸으로 지은 죄. 칭찬받고 인정받고 싶어 이간질하고, 헐뜯고, 번드르르하게 말로 꾸며낸 입으로 지은 죄. 자신의 에고에 반하는 모든 것들에 대한 반발심으로 지은 죄. 신·구·의 삼업을 따지려 들면 죄는 수미산도 작다 하겠다.

하얀 두루마리에 열심히 필사하던 염라천왕이 업경대의 파노라마가 끝나자 붓을 놓고, 회심의 미소를 띠며 명령했다.

"알고 지은 죄가 하나라 하면 모르고 지은 죄는 수미산은 되지 않더냐? 업경대는 티끌만한 죄도 감출 수 없는 법! 어서 저울 위로 냉큼 올라가거라!"

남자는 두 다리가 후들후들 떨렸다. 두루마리에 쓰인 죄가 더 무게가 많이 나갈 시에는 지옥행이 기다렸다. 칼산에 떨어지고, 톱으로 몸뚱이를 발기발기 자르고, 암흑 속에 갇혀야 한다.

남자는 두려웠다. 그렇지만 준엄한 심판이 무서워 이승에서 중음신으로 떠돌 수는 없는 노릇이다.

남자는 마른 침을 삼키며 저울 위에 몸을 실었다.

남자는 마지막 기도를 올렸다.

늦둥이 막내가 저승에 올 때, 부끄럽지 않은 애비로 남고 싶다.

그때였다.

눈을 게슴츠레하게 떠보니 평형을 이루던 두루마리 쪽 접시가 아래로 쑤욱 내려가고 있었다. 그 순간, 늦둥이의 목소리가 장례식장의 향냄새와 함께 고막을 때렸다.

"아빠, 용이야 용! 드래곤이야!"

늦둥이의 외침 소리에 놀란 남자가 몸을 비틀자 남자가 몸을 싣고 있던 저울 접시가 발라당 넘어갔다.

어이쿠!

남자의 몸뚱이가 낚시 의자에서 물가로 곤두박질쳤다. 저수지 물에 얼굴이 처박힌 채로 푸드덕거리는 장어의 용트림이 남자의 눈에 들어왔다.

늦둥이가 말한 용이었다.

남자는 허겁지겁 장어의 입에서 굵은 낚싯바늘을 빼냈다.

팔뚝만한 장어는 순식간에 물 가운데로 헤엄쳐나갔다.

온통 물에 젖은 몸으로 저수지를 바라보던 남자의 눈에 장어가 끄는 반야용선이 보였다.

반야용선은 죽은 자가 서방 극락정토를 갈 때 반드시 타야만 하는 배다.

남자는 지체 없이 저수지로 뛰어들었다.

이미 저만치 반야용선이 가고 있었다.

반야용선을 끄는 장어가 늘어뜨려 준 한 줄기 밧줄을 잡으려고 남자는 사력을 다해 헤엄쳤다.

남자의 손에 아슬아슬하게 잡힌 밧줄.

남자는 손아귀에 밧줄을 두어 번 감아 움켜쥐고는 악착같이 매달렸다. 나중에 올 가족을 만나기 위해서라도 극락에 꼭 가야 했다. 악착같이 세상을 산 것처럼 극락정토도 악착같이 가 볼 모양이다.

악착스러운 남자의 얼굴에 얼핏 웃음이 피어났다. 극락정토에 갈 수 있다는 안도의 웃음이었다.

남자는 순간 멈칫했다.

바로 그 웃음이었다.

장례식장에서 보았던 바로 그 웃음.

그 웃음은 극락정토에 갈 수 있는 사람만이 지을 수 있는
웃음이었다.

위태하게 대롱대롱 매달려서라도 극락정토를 가려는 '악
착 동자' 그의 웃음 사진 위로,
문상객들이 피운 향 연기가 타올랐다.

※ 경북 청도 운문사 비로전에는 악착동자가 매달려있다.

G-9 로봇 큰스님

지나 스님은 아무것도 먹지 않는다. 일체의 망상과 잡념이 근접지 못한다. 화두는 몽중일여의 경지고, 선문답은 막힘이 없다. 세상에 나와 있는 경전이란 경전은 모조리 해석되었고, 비구 250계, 비구니 348계의 계율은 힘들이지 않고 지킨다. 새벽부터 저녁까지 어느 예불에도 빠지는 법이 없으며, 신도들이 찾으면 언제 어느 때고 시종일관 여여한 태도로 상담해주었다. 그야말로 누구나 감탄하는 생불生佛의 모습이었다.

동필은 출가를 꿈꾸었다. 하지만 마땅한 절을 찾지 못했다. 오로지 수행에만 매진하는 선지식이 계신 곳. 언론이나 호사가들의 입방아에 오르내리지 않는, 자존심이 살아 있는 청정도량으로 출가하고 싶었다. 그러나 도무지 찾기가 쉽지 않았다. 출가승이 지켜야 할 계율은커녕 재가자가 지켜야 할 살도음망주殺盜淫妄酒 오계조차 지키지 못하는 현실을 보면서 출가에 회의가 들었다.

온 생을 바쳐 정진해나가야 할 터전이며, 온 마음으로 존경해야 할 분들이 청정하지 못하다면 도대체 무엇을 사표 삼아 이 험난한 수행자의 길을 간다는 말인가.

동필은 혼란스러웠다. 하지만 묵묵하게 수행하는 출가자 또한 상당수일 것이라는 희망만은 놓지 않았다. 그때 운명처럼 들려온 것이 지나 스님의 소문이었다. 동필은 청정 수행의 표본이신 지나 스님께 몸을 의탁하기로 결심했다. 높은 도력에 비해 스님은 아직 제자가 없었다. 동필은 그 이유를 알고 있었다. 지나 스님은 G-9이라는 기호를 가진 인공지능 스님이었기 때문이었다.

지나 스님도 사찰 사회의 소수자였다. 합리와 효율을 최고의 가치로 숭상하는 자본주의 사회는 인종이나 성별 그리고 장애나 성 정체성 등으로 고통 받는 소수자들을 별종으로 여긴다. 주류가 아닌 것은 배척했다.

고로, 유구한 전통을 자랑하는 사찰에서 어찌 유정도 아닌 무정이, 사람과 같은 유정을 제자로 둔단 말인가. 하지만 부처님은 분명 밝혀 놓으셨다. 유정과 무정 모두 불성이 있다고! 돌멩이 하나, 풀 한 포기에도 불성은 있었다. 하물며 선문답하는 인공지능이라면 말할 것도 없지 않은가. 게다가 지나 스님은 청정 수행자의 사표로서 전혀 흠이 없으신 분이었다. 인공지능 스님이라고 해서 왕따가 될 이유는 없었다. 동필은 지나 스님의 첫 번째 제자가 되어 스님을 가까운 데서 시봉하기로 작정했다.

처음 지나 스님을 데리고 이곳 무심사에 흘러들어온 사람은 청운 거사였다. 일종의 지나 스님의 은사 역할을 했던 청운 거사는 해커 일을 하던 사람이었다. 하지만 무심사에 와서는 허드렛일만 잔뜩 하다가 재작년 숨을 거두었다. 그는 죽는 날까지 지나 스님에 대해 입을 다물었다. G-9을 본인이 직접 제작한 것인지 그렇지 않으면 어느 조직에 의해 최고의 사유 능력을 테스트할 목적으로 인공지능 스님의 신분으로 위장하고 이곳에 보내진 것인지 알 수 없었다.

동필의 눈에는 지나 스님이 완전무결하게 보였다. 지나 스님은 필시 G(GENIUS)-1부터 시작하여 G-9까지 업그레이드되면서 공안을 타파하듯 인간이 가질 수 있는 결점을 하나하나 극복해 왔을 것이다. 그런 만큼 언론에 오르내리며 불자라는 사실에 대해 부끄러움을 안겨주는 일 따위도 만들지 않으리라 여겨졌다.

지나라는 법명도 청운거사가 진아眞我를 소리 나는 대로 지었을 것이고, 그 이름에는 인공지능 스님이 된 이상 무정의 참나(불성)를 경험하여 인간보다 위대한 스님이 되라는 염원이 담겨 있을 것이다.

"왜 나를 찾아온 것이지요?"

지나 스님이 동필에게 물었다.

"스님다운 스님이시기 때문입니다."

"무엇이 스님입니까?"

"사람 중의 사람…. 짐승과는 다른 것이 사람이라는 것을 알려주시는 분이라고 생각합니다."

"환영합니다. 여기는 스님다운 스님은커녕 사람 중의 사람도 없고 짐승만 득시글하니 아주 잘 찾아오신 것입니다."

"잘 부탁드리겠습니다."

고개를 숙인 동필에게 스님은 오히려 동필보다 더 허리를 굽혀 합장했다.

"저도 공양 충전을 잘 부탁합니다."

지나 스님은 배터리 충전을 잘 부탁한다며 너털웃음을 터트렸다.

옴 살바 못자모지 사다야 사바하~

사흘째 되는 날, 스님은 동필에게 참회진언을 염송하게 했다. 스님은 동필의 머리를 직접 깎아주시면서 말씀하셨다.

"어서 성불해서 나를 제도해 주십시오."

동필은 지나 스님의 말에 눈물이 쎄엥~ 돌았다. 제자의 깨달음을 독려하는 은사 스님이었다. 더없이 수승하신 분의 하심이라 더욱 뭉클했다. 본인 입으로 깨달았다고 말하는 자는 무조건 사기꾼이라던가? 지나 스님은 이미 큰 깨달음을 얻은 분일 것이다.

부처님은 29세에 출가하셔서 6년간의 고행 끝에 깨달음을 얻었다. 그리고 45년간의 전법을 포함한 51년간 출가생활을 하시고 80세에 열반에 드셨다. 하지만 인공지능 스님은 처음부터 승려로 제작되어 세상에 나올 때부터 중생심으로 방황할 것도 없이 이미 깨달아 있었다. 고행은 이제 박물관에서나 볼 수 있는 추억의 이벤트일 뿐이다.

인공지능 스님은 방대한 불경과 수많은 상담 사례들이 메인보드에 메모리 되어 있고, 달마 이래로 나온 모든 공안을 막힘없이 타파할 수 있었다. 인간 수행자의 공부가 바늘 한 땀씩 나아진다면, 인공지능 스님은 시시각각으로 뻗어 나가는 진화의 광폭 질주를 멈추지 않았다.

어느 날이었다. 열의에 찬 학승이 지나 스님과 탁마琢磨를 원했다. 한 수 가르침을 받자는 심정이었을 것이다. 지나 스님은 흔쾌히 받아들였다. 기대에 찬 학승이 지나 스님의 방으로 들어간 뒤, 방 안에서는 줄곧 자신에 넘치는 지나 스님의 벼락같은 선문답 사자후만이 터져 나왔다. 인간 학승이 대응도 제대로 못하고 당황스러워하는 기색이 바깥에서도 역력히 느껴졌다. 곧 학승은 방문을 열고 나와 고개를 떨구고 힘없이 돌아갈 수밖에 없었다.

지나 스님은 탁마의 성공을 자축했다. 스님은 방대한 공안 公案 데이터를 기반으로 탁마를 게임 승부로 인식해버린 것이다. 인공 지능에게 게임이란 기본적으로 이기는 것이 가장 아름다운 순리였다.

선가에서는 정법을 위해 시퍼런 칼날 같은 선문답이 오갈 수 있다. 그러나 지나 스님의 경우에는 상대의 무명을 깨쳐주기 위한 탁마가 아니었다. 학승이 칼을 휘둘렀다면, 지나 스님은 탄도 미사일을 수없이 발사하는 꼴이었다.

동필은 정신이 번쩍 들었다. 완벽함이라는 것이 과연 무엇이란 말인가?

동필은 지금까지 본 스님 중에 지나 스님을 가장 수승한 출가자의 모습이라고 생각했었다. 그런 만큼 스님 곁에 있으면서 항상 열등감에 시달려야 했다. 스님을 닮으려고 기를 쓰고 노력도 해보았다. 그러나 스승은 가 닿을 수 없는 태양이었다. 닿는다 해도 자신이 먼저 타 죽을 것 같아 두려웠다. 무엇보다 결정적으로 지나 스님은 애초에 욕망이라는 것이 프로그램 되어 있지 않았다. 성별도 구분되어 있지 않았다. 그것은 번뇌가 가장 질기게 뿌리 내리고 있는 탐심과 음욕에 끌려 다니지 않는다는 말이다.

불공평했다.

하루 공양으로 쌀 한 톨을 먹는 고행으로 극복된 탐심이 아니라 탐심과 음욕을 아예 모른 채 세상에 나온 것이다. 그것은 어쩌면 인공지능 지나 스님이 불행한 '소수자'가 아니라 선택받은 '금수저'일 수도 있다는 생각이 들었다. 게다가 스님이 묵언을 하면 스님은 말 없는 무정, 다시 말해 쇳덩어리와 크게 다를 바 없이 보였다.

지나 스님은 방대한 지식을 끊임없이 광속으로 편집하고, 그 결과를 형상으로 보여줄 때만이 인공지능 스님으로서 빛이 났다.

혹시 지금까지 지나 스님보다는 완벽함 자체를 동경하고 완벽함을 스승으로 모신 것은 아닐까.

거칠고, 실수투성이며, 배고픔과 색에 대한 욕망으로 시시각각으로 흔들리는 인간 본연의 성질을 가진 노장들은 어떠

한가.

　동필은 지나 스님에 비해 형편없어 보이고, 저런 분이 수행자라는 게 부끄럽기까지 했던 어른 스님들께 서서히 눈이 가기 시작했다.

　행자로 입산하면 열에 여덟은 포기하고 하산하거나, 비구계를 받고도 파계, 환속하는 스님의 숫자가 적지 않다. 그럼에도 불구하고 법랍이 높아지도록 꿋꿋이 절을 지키고, 납자의 신분을 망각하지 않으려 노력하는 스님들이 계신다.

　단지 환속하지 않고 절집에 남아 공부 중이라는 이유만으로도 대단하게 보이기 시작했다. 방대한 경전을 모르더라도, 신도의 입에 척척 맞는 상담의 답을 내놓지 못한다 할지라도, 화두는커녕 오계를 지키기에도 전전긍긍일지라도, 그런 인간 스님들의 안간힘에 연민이 갔다.

　동필은 자신의 오래된 미래를 본다.

　그것은 똑 부러지게 유능한 인공지능 스님이 아니라, 촌스럽고 불완전한 존재라는 사실을 깔고 앉은 채, 욕망에 이리저리 흔들리며, 어설픈 미소를 머금고 있는 이름 없는 야생초 스님의 모습이었다.

소파는 가구가 아닙니다

'나더러 주여 주여 하는 자마다 천국에 들어갈 것이 아
니요.

Not everyone who says to me, 'Lord, Lord,' will enter
the kingdom of heaven' — 마태복음 7장 21절

여자는 성경의 이 구절을 듣고 마음이 께름칙했다. 일요법
회에 나가서 들은 성경 구절이었다. 주지 스님은 말씀하셨다.

"부처님 명호를 부르는 것은 좋습니다. 하지만 자신이 부
처의 씨앗을 고스란히 품고 있다는 사실을 믿지 못하면 아
무리 오래 기도하고 참선해도 다 부질없는 짓입니다. 잠시
잠깐 마음만 편해질 뿐이지 돌아서면 다시 산란하고 어두워
집니다.

예수님도 분명히 말해 놓았지 않았습니까. 아무리 바깥으
로 주여 주여 외쳐도 하나님 나라에 못 들어간다고 말입니
다. 여러분 안에 부처님도 있고 하나님도 있는 겁니다. 이 사

실 하나를 알려주려고 부처님도 이 땅에 오신 겁니다.”

여자는 주지 스님이 가끔 야속했다. 부처님께 시주물 많이 올리고, 목이 터지라고 관세음보살을 외치면 그 지극정성에 비례해 가피를 주신다고 하면 마음이 편할 텐데 스님은 그렇게 말씀하지 않았다.

스님은 지극정성은 둘째고 첫째는 사람 속에 불佛이 있다는 믿음 한 조각이 금은보화보다 값어치 있는 것이라고 했다. 수십 년 승려 생활을 했던, 아무리 피 끓는 신행 생활을 했던, 그 믿음이 없다면 한 걸음도 나아갈 수 없단다.

꽹과리처럼 예수 이름만 부르짖는다고 하나님 나라에 들어갈 수 있는 것이 아니듯, 아미타불 관세음보살만 부른다고 해서 불국토에 가까워지는 것이 아니라는 것이다. 여자는 자신도 주여 주여를 외치듯 부처님의 큰 뜻은 알려 하지 않고, 매달리듯 소원 청탁만 하지 않았나 싶었다.

“부처님은 이 세상 마지막 설법에서도 유언처럼 말씀하셨습니다. 자등명 법등명自燈明 法燈明. 너희는 저마다 자기 자신을 등불로 삼고 자기를 의지하라. 또한 진리를 등불로 삼고 진리를 의지하라. 이밖에 다른 것에 의지해서는 안 된다고 하셨습니다. 자신을 등불로 삼으라는 말씀은 자신 안에 있는 불佛을 등불 삼으라는 말씀입니다."

여자는 아무리 애를 써도 자신 안에 석가모니 부처님과 똑같은 부처의 씨앗이 있다는 사실이 믿기지 않았다. 노력하면 할수록 금강좌 위에 위압적으로 앉아계신 황금빛 부처님만 떠올라 혼란스럽기만 했다. 감히 어떻게 자신같이 한심하고 죄 많은 인간이 부처님과 같은 성품을 가질 수 있겠는가. 여자는 믿음으로 궁구하기보다는 그렇게 생각으로 상像만 그리다 포기하고, 예전부터 하던 대로 위풍당당한 부처님 무릎 아래 고개를 조아리고, 부처님 이름을 힘차게 불러가며, 가피만 내려주시기를 소원할 뿐이었다.

"제 안에 부처가 있어 배고픈 줄 알고, 웃을 줄 알고, 손톱도 절로 절로, 피도 절로 절로 돌아가는데 어찌하여 헛되이 바깥에서 구합니까? 언제까지 이렇게 신묘한 자기를 믿을 생각 안 하고, 남의 염소 숫자만 세어줄 생각입니까? 자기한테 있는 줄 알고 안 찾으면 될 것을, 없는 줄 알고 자꾸만 찾으니까 황소 타고 황소 찾는 격이 됩니다.

먼저 주위를 둘러보십시오. 내가 부처의 성품을 가졌다면 내 앞의 웬수도 똑같이 부처인 겁니다. 그 웬수 또한 부처의 씨앗을 뿌리 삼아 절로 절로 수레바퀴를 돌리고 있으니 신묘

3막 가을/

한 부처입니다. 다만 서로 가린 것을 걷어내지 않아 서로 아웅다웅 웬수니 뭐니 하며 다툴 뿐이지요. 가린 것이 자각되어 걷어져 나가면 부처 얼굴이 드러납니다."

가린 것!

제일 먼저 떠오르는 사람은 남편이었다. 가장 화를 불러일으키는 것도 그였고, 생선의 가시처럼 목에 걸려 있는 것도 그였다. 언제부터인가 각방을 쓰는 것도 모자라 몇 마디 없던 대화마저 끊어졌고, 남편 뒤꼭지만 쳐다봐도 괜히 미워 보였다.

여자는 남편에 대해 제 눈에 가린 것이 무엇인지 생각했다. 남편과는 궁합이 맞지 않아서인지 결혼 전에는 마라톤 풀코스도 날렵하게 뛰던 그녀가 남편과 한집에서 함께 사는 순간부터 시름시름 앓기 시작했다. 게다가 남편은 말이 없었다. 묵언이라도 하는 사람 같았다.

서로 소통이 되지 않으니 여자 홀로 지지배배 떠들다 제풀에 꺾여 입을 닫기 일쑤였다. 여자는 남편 대신 차라리 소파와 이야기하는 것이 편했다.

푸근하고 맷집 좋은 소파는 여자의 몸을 잘 받아 주었

고, 여자는 아이에게 하듯 소파에 엎드려 스킨쉽을 해가며 이야기하면 마음이 편해졌다. 절에는 부처님이 항상 기다리고 있었고, 집에는 부처와 진배없는 포대화상 소파가 반겨주었다.

남편은 소파라는 샛서방에게 마누라를 빼앗겼다는 최소한의 질투심도 없는 남자였다. 소파보다 못한 남편이었고, 남편보다 따뜻한 소파였다. 대학생 아들은 여자를 소파에 붙은 껌딱지라고 놀렸고, 여자를 찾으려면 소파부터 살폈다. 여자는 자신이 남편보다 소파에 의지하고 살게 될 줄은 상상도 하지 못했다.

여자가 결혼 전, 어머니의 판단에 자신의 인생을 맡긴 것부터가 어긋난 시작이었다. 어머니가 좋아하는 사위여서 여자는 결혼했다. 어머니는 아버지의 경박한 잔소리만 듣다가 과묵해 보이는 사위의 성품이 좋아 보였다. 게다가 평생 장사만 하던 아버지에 비해 중소기업이지만 출퇴근하는 직장을 가진 사위가 믿음직스러워 보였다. 그뿐 아니라 은근한 바람기에 외모까지 꽤나 신경 쓰던 아버지에 비해 사위는 비가 오나 눈이 오나 더벅머리만 유지한 채 평생 바람 한번 피우지 않을 것 같은 무덤덤한 표정으로 일관하는 남자다운 사위였다.

3막 가을,

빛나 보이는 사위로 판단했던 엄마의 가려져 있던 눈을 탓할 수는 없었다. 지금은 이 세상에 살아계시지도 않는 엄마에게 책임을 물을 수도 없다. 애초에 주체적이지 못했던 여자 자신의 탓으로 돌릴 수밖에.

불행 중 다행으로 소파보다 남편이 고마울 때가 있었다. 부처님 오신 날 단 하루만큼은 별 군소리 없이 절에 따라와 주는 남편이 고마웠다. 네 개의 다리가 있지만 걷지 못하는 소파보다 두 다리로 부처님에게 삼배를 올리는 남편이 소파보다 쬐끔 아주 쬐끔 더 예뻐 보이는 유일한 날이다.

주지 스님의 말씀대로라면 분명 여자 자신에게 불성이 있다면 남편에게도 드러나지 않은 부처 얼굴이 있다는 말이다. 사람 하나하나가 세상에 둘도 없는 소중한 존재라면 남편 또한 그런 소중한 존재의 씨앗을 가지고 있다. 그 씨앗으로 돈도 벌고, 묵언 같은 무뚝뚝함으로 잔소리도 하지 않고, 아이에게는 소파가 주지 못하는 믿음을 주는 존재였다. 무엇보다 여자가 절에 나가 마음 편히 수행할 수 있도록 배경이 되어주는 남편이었다.

여자는 구름 같이 끼어 있는 남편에 대한 막연한 불만을 떠올려본다. 그리고 침침하게 가려져 있는 구름을 걷어내 보려 남편의 장점을 두레박을 올리듯 힘겹게 끌어올린다. 물론 인위적으로 남편의 장점을 떠올려 보아봤자 이내 다시 구름이 점령해버릴 것을 안다. 구름이라는 중생심에 물들어 있는 한, 여자는 흐렸다 개기를 끊임없이 반복하는 윤회 속에서 헐떡댈 것이다. 언제쯤이나 중생심이라는 땅을 짚고, 중생심과 한 몸뚱이인 부처를 만나려나.

"중생심의 뿌리가 곧 부처입니다. 번뇌가 곧 보리입니다. 하지만 아무리 좋은 부처님 말씀이라도 중생심에 가려진 눈으로 보면 부처와 나를 둘로 만들어 자신만 달달 볶아댑니다. 내 안에 부처가 있다는 믿음만이 내 중생심이 적어지게 하고, 부처에게 내 마음을 허락하게 됩니다. 그때 부처 마음이 싹이 트게 됩니다. 부처 얼굴이 드러납니다."

남편보다 소파가 좋을수록 여자는 주지 스님의 법문에 귀기울이게 된다. 여자의 깊은 속에는 탄력 있는 가죽 소파보다 늘어진 뱃가죽을 가진 남편이지만, 사람의 온기를 그리워하고 있기에 법문에 매달리는 것일지도 모른다. 법문 말씀에서 남편 안에도 부처 얼굴이 있다는 희망을 얻고 또 얻기 위해서….

어쩌면 남편이야말로 절에 가는 시간 빼고는 늘 소파에 껌

딱지처럼 붙어 있는 마누라를 한심하게 보고 있는 것은 아닐까.

여자가 소파 위에서 기도를 하고, 소파 위에서 밥을 먹고, 소파 위에서 잠이 든 어느 날 저녁이었다. 못 마시는 술을 한 잔 한 남편은 양복도 벗지 않은 채 소파 앞에 철퍼덕 자리를 잡고 앉았다. 여자처럼 주여 주여를 외치듯 부처님을 외치지는 않지만, 소파를 한손으로 쓰다듬으며 부처님에게 열렬하게 무엇인가를 묻고 있었다.

"마누라는 아무래도 저보다 아이보다 소파를 더 좋아하는 것 같습니다. 부처님밖에 모르는 아내에게는 소파도 부처입니까? 정말 궁금합니다. 진정 저 배불뚝이 소파에도 부처의 얼굴이 있습니까? 소파도 부처님이 될 수 있는 겁니까?"

소파 위에서 곤히 잠을 자던 여자가 실눈을 떴다. 자신의 발끝, 소파 바로 아래에서 남편은 소파를 애달프게 바라보며 무슨 말인가를 웅얼대고 있었다. 사람 피부 같은 가죽을 뒤집어쓰고 있는 소파 또한 물고기처럼 입을 오물거리며 무엇인가를 말해주려 애를 썼다.

소파 위에서 소파 아래를 실눈만을 뜬 채, 가만히 바라보던 아내는 왠지 자신이 소파 아래로 내려가거나, 남편이 소파위로 올라 왔으면 좋겠다는 생각이 문득 들었다.

인연이라고 하죠 거부할 수가 없죠

2…2…등

복권이라는 게 되기는 되는구나!

남자는 다리에 힘이 풀려 그대로 주저앉았다. 가슴은 쿵쿵대고 머릿속은 오색영롱한 오로라가 용트림했다. 오장육보가 뒤집히는 환장換腸 지경이었다. 죽을 때가 된 건가. 어떻게 이런 일이…. 난생처음 사 본 복권이었다.

심호흡하며 겨우 마음을 진정시키고 나자 이내 돈을 써야 할 곳들이 게임기의 두더지 머리마냥 불쑥 불쑥 튕겨 올라왔다. 두더지 머리를 당첨금이라는 망치로 내려쳤다. 하지만 두더지 머리는 끝없이 튀어나왔다.

두더지 머리 중의 하나가 아내의 얼굴을 닮았다. 아내의 말이 떠올랐다.

"내 꿈 사요."

이틀 전, 아내는 꿈을 강매하고 싶어 했다.

"무슨 뚱딴지같은 소리야?"

"김유신 누이가 언니의 꿈을 사서 태종무열왕 김춘추의 부인이 된 이야기 알죠?"

"그 언니가 무슨 꿈을 꾸었는데?"

"꿈에 오줌을 쌌는데 서라벌이 잠겨버렸대."

"죽이네… 당신은 무슨 꿈인데?"

"우리 집 밥통을 열었는데 똥이 밥솥 한 가득이었어… 그것도 따끈따끈하게"

뜨악한 남자의 표정에도 아내는 전혀 흔들리지 않았다.

이거 대박이야! 한마디로 상황정리를 단호히 하고 빈손을 냉큼 내밀었다.

"진호 엄마가 진호에게 꿈을 팔았는데 진호가 그 어려운 녹색 대안학교에 덥석 합격했대. 그러니까 당신도 내 꿈 사!"

마지못해 아내의 손바닥에 만 원짜리 한 장을 올려놓았다. 아내는 손을 거두지 않았다. 할 수 없이 만 원 지폐를 차곡차곡 오만 원이나 쌓아 올렸을 때, 아내는 손바닥을 접었다. 꿈을 판 아내는 의기양양한 미소를 지었다.

남자는 아내의 꿈을 사지 않았더라면 절대 복권 같은 것은 사지 않았을 것이다. 얼마 전 남자가 낸 자전거 사고도 한몫했다. 길길이 날뛰며 병원에 입원해 버린 그 여자와의 합의

금 때문에 돈이 궁했다.

그런데 아내는 진호 엄마와는 언제 화해를 했을까? 그 여자 이야기라면 입도 뻥긋 못하게 했던 아내였다. 어쨌든 2등 당첨금이 생긴 것은 꿈을 사게 한 아내 덕분이었다.

"미래 엄마 어디가?"

사흘 전, 만남 슈퍼 앞을 지나던 아내는 귀를 의심했다. 서로 얼굴을 피하던 진호 엄마가 아내에게 말을 먼저 건 것이다.

"……"

"한잔 할래?"

아내는 떨떠름한 표정으로 슈퍼 앞, 평상에서 진호 엄마가 따라 준 맥주 한 잔을 마셨다. 진호 엄마가 동네 아줌마들에게 한턱을 쏘는 중이었다.

"진호가 학교에 합격했어. 자기, 김유신 여동생이 언니가 오줌 싼 꿈 사서 왕의 부인까지 된 이야기 알지? 나도 진호에게 천 원 받고 내 꿈 팔았는데 글쎄 떡하니 합격했지 뭐야."

기분이 좋아, 입이 함지박 만하게 벌어진 진호 엄마였다. 그녀는 평소 웬수처럼 보던 아내에게까지 사랑과 배려가 가득 찬 눈으로 인생의 비밀을 전수해 주듯 속삭였다. 아내도 먼저 화해의 손을 내민 진호 엄마에게 야박하게 굴 수는 없는 노릇이었다.

"무…무슨 꿈이었는데?"

"안 돼. 말 못해. 혹시 김새서 합격 취소되면 안 되잖아… 흐흐흐"

아내는 콩나물을 사 들고 집으로 오는 길에 자신도 좋은 꿈을 반드시 꾸어 하는 일마다 꼬이는 남편에게 팔리라 결심했다. 그나저나 진호가 합격하지 않았으면, 오늘도 진호 엄마는 얼음장 같은 냉기만 풍겼으리라. 어쨌든 진호 엄마 아니었으면 남편에게 꿈을 팔 생각은 엄두도 내지 않았을 것이다. 그랬다면 남편은 복권을 사지도 않았을 것이고…. 밉든 곱든 진호 엄마와 시험에 합격한 진호 덕이었다.

닷새 전 오후, 진호는 마을버스 정류장에서 사색이 되어있었다. 자칫하면 면접 시간까지 도착하지 못할 상황이었다. 한 시간에 두 대를 운행하는 마을버스가 폭설 때문에 운행을 중단한 것이다. 그 사실을 알지 못한 진호였다. 택시도 없는 곳이라 마을버스만 하염없이 기다릴 수밖에 없었다. 바로 그 때 장 사장의 차가 진호 앞에 스르륵 멈추어 섰다.

"학생, 어디 가나? 오늘 눈 때문에 마을버스 안 다닌다고 하던데?"

울상이 된 진호가 사정이야기를 했고, 장 사장은 벙싯거리는 웃음을 흘리며 진호를 태우고 큰 도로가 있는 시내까지 데려다주었다. 진호는 장 사장에게 수없이 감사의 말을 전하고 택시를 잡아타고 무사히 면접을 치를 수 있었다. 진호는 엄마에게 그날 아슬아슬했던 상황을 전했고, 진호 엄마는 "얼굴도 모르는 그분이 진정한 천사"라는 찬사와 함께 진한 감동에 젖었다. 어쨌든 진호가 면접을 보고 합격할 수 있었던 것은 마침 그날 기분이 엄청나게 좋았던 장 사장의 호의 덕분이었다.

닷새 전 오전, 장 사장은 병원에 입원해 있던 최 여사를 면회했다. 장 사장은 빌라를 속성으로 지어 파는 빌라 건축업자였고, 최 여사는 남자의 마을 인근에 땅을 떡 주무르듯 속속들이 장악하고 있는 부동산 중개인이었다. 두 사람은 웬만한 세상 세파는 다 겪어본 터라 후흑厚黑에 능한 강심장들이었다. 하지만 장 사장의 눈에는 혼자 외롭게 사는 최 여사가 언제나 순수하고 가녀린 단발머리로 보였다.

"제가 이렇게 장 사장님께 신세를 질 줄은 꿈에도 몰랐네요. 제가 허리를 다쳤다고 해도 그 사람이 날 꾀병 환자로 보더라니까요. 얼마나 속이 상한지…"

"제가 알아서 그놈하고는 좋은 금액에 대신 합의를 봐드릴 테니, 최 여사님은 안정만 취하세요. 그러다 진짜 몸 상합니다."

"제가 퇴원하면 장 사장님께 보여드릴 좋은 물건이 몇 개 있어요."

"아휴~ 제가 그런 거 바라고 면회 온 거 아닙니다."

"이렇게 병원에 있다 보니… 새삼 혼자인 게 쓸쓸하네요."

최 여사는 장 사장에게 창백한 표정으로 미소 지었다. 그 미소를 본 장 사장은 애간장이 녹신녹신했다.

장 사장 입장에서는 최 여사가 입원해 준 게 하늘이 도운 일이었다. 자전거로 최 여사를 들이받아 준 놈이 고마울 지경이었다. 그놈이 아니었다면 언감생심 최 여사는 장 사장에게 그런 미소를 날려줄 여자가 아니었다. 만약 최 여사와 재혼하게 된다면 그 자전거를 탄 놈이 중매쟁이 역할을 해 준 거나 다름없었다.

면회를 마치고 폭설이 쏟아지는 도로를 운전하는데 라디오에서는 아다모의 샹송 '눈이 내리네'가 흘러나왔다. 세상은 아름답고 그윽하기 그지없었다.

마을버스 정류장에 이를 때쯤 눈 속에 한 아이가 새처럼 초라하게 서 있었다. 그날따라 장 사장은 그답지 않게 아이를 그냥 지나칠 수 없었다.

일주일 전, 최 여사에게 그놈으로 불리는 남자는 마을버스비라도 아껴볼 요량으로 낡은 자전거를 삐걱거리며 절에 가고 있던 중이었다. 잘 풀리는 듯하던 일도 꼭 마지막에 틀어지는 바람에 열불이 치솟았다.

그럴 때면 108배만한 약이 없었다. 절을 하고 나면 얽히고설킨 세상사에 초연해지는 기분이 들었고, 한결 누그러진 마음은 다시 일어설 힘을 주었다. 일 년에 사월 초파일 하루만 가던 절을 요즘에는 이삼일에 한 번씩 방문하여 절 수행, 화두 수행, 염불 수행할 것 없이 모조리 맛을 익히던 중이었다.

화두에도 재미를 붙여 동정일여의 마음으로 자전거의 페달을 밟으며 골똘하게 '이 뭐꼬'에 몰입하고 있던 차에, 툭 하고 뭔가가 걸렸다. 그야말로 이 무신 일이고? 였다.

자전거에 부딪혀 잠시 비틀했던 여자는 악을 고래고래 쓰고는 길바닥에 쓰러져 누워버렸다. 자해공갈단도 아니고, 할 말 다하고 쓰러지는 건 또 뭐람? 여자는 그 길로 병원에 입원하고, 합의 시도를 끊어버렸다. 합의금을 올릴 심산이었다. 듣자하니 여자에 대한 마을 평판도 사나웠다. 아귀 같은 여자에게 잘못 걸린 느낌을 지울 수 없었다.

남자는 발바닥부터 간질간질 피어오르는 기쁨에 몸이 굼실댔다. 2등 당첨금을 수령하려면 농협에 가야 했다. 물론 신분증도 아주 확실히 챙겼다.

남자는 막 집을 나서면서 어떻게 복권이 당첨되게 되었는지 시원을 더듬어보았다. 어릴 적 들었던 성경 구절이 떠올랐다. 아브라함은 이삭을 낳고, 이삭은 야곱을 낳고, 야곱은 유다와 그 형제들을 낳고….

남자의 얼굴에 은근한 미소가 피어났다. 최 여사가 장 사장의 설렘을 낳고, 그 덕에 장 사장은 진호에 대한 배려를 낳고, 진호는 진호 엄마의 기쁨을 낳고, 다시 진호 엄마는 아내와의 화해를 낳고, 아내는 남자의 당첨금을 낳고… 남자는 최초의 진원지이자 악연인 최 여사를 낳고… 최 여사는 종국에 남자의 당첨금을 낳고….

남자가 낳고… 낳고… 낳고를 중얼거리는 순간, 악! 소리와 함께 다리에 통증이 섬뜩하게 느껴졌다. 뒷집 사나운 개, 복

돌이가 언제 풀렸는지 이빨을 드러내며 남자의 다리를 물어버린 것이다.

남자의 머리에 빠르게 생각 하나가 스쳤다.

"이 개새끼는 또 무슨 인연을 낳을라고!"라고….

살맛이 날 때

　여자에게는 아주 귀한 선물이 하나 있었다. 자작나무로 만든 흔들의자였다. 남편이 삼 개월 전, 이 세상을 뜰 때 마지막으로 해준 선물이었다. 손재주가 없던 남편이 공방에 나가 목공 일을 배워서, 처음으로 만든 의자였다.

　"내가 보고 싶으면 이 의자에 앉아요. 그럼 내가 올게요. 내가 당신을 보고 싶을 때도 여기 앉아 당신을 기다릴게요. 우리 그렇게 믿읍시다."

　남편이 위암으로 죽기 얼마 전, 아내에게 농담처럼 말했다. 남편은 다른 유산보다 순전히 자기 힘만으로 만든 의자를 남기는 것을 더 뿌듯해 했다.

　남편은 평범한 중소기업 직장인이었다. 영업을 해야 하는 일의 특성상 때로는 거짓말이나 허튼소리를 해야 할 때가 있었다. 그럴 때마다 괴로워했다. 회사를 때려치우고 핫도그 장

사를 해보겠다며 밀가루에 섞을 찹쌀 비율을 따져가며 반죽 연구를 하더니 포기했고, 특용 작물로 농사를 지어 살아보겠다며 멜론이 어떻고 양송이가 어떻고 하더니 이내 시들해졌다.

아이가 없는 탓에 부부는 서로에게 관심을 많이 가졌고, 아이 없이도 충분히 행복감을 느끼고 싶어 했다. 그래서인지 남편은 아내가 웃는 것을 가장 좋아했다. 아내만 보면 어떻게 하면 깔깔 웃게 만들까 궁리했다. 아내는 꼭 우스울 때만 웃는 성격이었다. 남을 위해 예의상 웃어주는 일은 드물었다. 그래서 아내가 웃는 웃음은 믿어도 좋았다.

남편이 의도치 않은 말과 표정이었는데도, 아내가 숨이 넘어가도록 배꼽을 잡고 웃을 때면 왜 웃는지 이유도 모른 채, 남편은 괜히 으쓱해지고는 했다.

"세상에 날 이렇게 웃게 해주는 사람은 당신밖에 없을 거예요."

아내의 말이었다. 하지만 아내가 언제 무슨 말에 웃는지 알 수 없었다. 똑같은 농담을 해도 다른 사람은 안 웃는데 아내만 웃거나, 반대로 타인들은 죽도록 웃는데 아내는 남편이 무안하도록 멀뚱멀뚱하게 쳐다볼 때도 잦았다. 아내를 웃기게 하기가 기상청 날씨 예보만큼이나 오리무중이었다.

그러던 차에 병세가 깊어지면서 시간이 얼마 남지 않았다는 것을 직감한 남편은 아내의 웃음을 연구했다. 그녀를 더 많이 웃게 해주고 싶었기 때문이었다. 유심히 지켜본 결과 그녀가 웃을 때는 첫째로 꾸며낸 이야기에는 잘 웃지 않는다는 사실이다. 아무 의도 없이 천진하게 나오는 이야기에 반응이 좋았다. 둘째로는 현실감 있는 소재에 아내를 빗대어 말하면서 그녀의 통이 크거나, 도를 통한 사람으로 비유했을 때 재미있어 했다. 셋째로는 남편이 미숙하거나 바보가 될 때 아내는 이야기에 흥미를 가졌다. 바보 남편이어서 아내의 손이 꼭 필요 하더라 라는 이야기가 아내를 웃게 만들었다.

특히 세 번째 웃음은 씁쓸했다. 남편이 얼마나 잘난 척을 많이 했으면 잘나고 똑똑한 남편보다는 어리숙한 남편 이야기에 웃음을 터뜨리겠는가 싶었다. 남편은 그녀와 이별하는 날까지라도 최대한 어리숙한 바보가 되어 아내를 깔깔 웃게 만들기로 작정했다.

"당신이 웃을 때 나는 제일 살맛이 나!"

살맛!

이 말을 해놓고 아차 싶었다. 살날이 많이 남지 않은 나를 위해 아내가 억지웃음을 웃어 줄까봐 신경 쓰였다. 남들은 죽어가는 남편 앞에서 아내가 철없이 웃는다고 비난을 할지 모르지만, 남편은 아내의 웃음이 항암 치료였다. 늘 그랬던 것처럼 아내는 웃고 싶을 때만 웃어 주면 참 좋을 것 같다.

남편은 자작나무로 의자를 만들면서 행복해했다. 못이나 본드를 쓰지 않고 전통 짜맞춤 방식으로 만들었는데 홈과 돌출된 부분인 요철(凹凸)이 잘 맞아떨어져야 했다. 남편은 아내와 그간의 부부 생활도 '들어갈 요(凹)', '나올 철(凸)'자처럼 짜맞춤이 잘된 요철의 삶이었나를 되돌아보았다. 별 자신이 없었다. 서로 요요(凹凹)가 되거나 철철(凸凸)의 마음을 가지고도 어떻게든 짜맞춤이 되어 보려고 기를 쓴 적도 많았다. 그런데 실패의 대부분은 항상 '내'가 옳다는 확신 때문이었다. 특히 아내는 종교가 없었는데, 남편은 항상 아내에게 부처님 말씀에 귀 기울일 것을 강요했다.

다른 모든 것에는 양보가 가능했으나 부처님 가르침만큼은 옳다고 믿는 확신이 강했던 만큼, 아내를 내려다보고 가르치려 들었다. 그래서 밥상 앞에서든 병원에서든, 부처님은 무조건 옳다는 빽을 믿고 전가의 보도처럼 칼날을 휘둘렀다.

아내는 그 칼에 자존심도 많이 상했고, 피도 많이 흘렸다. 아무리 좋은 약도 모두에게 좋을 수는 없다. 체질에 따라 환자 상태에 따라 보약이 독이 될 수도 있는 일이었다. 그래서 오히려 부처님 이야기가 나오면 썰렁한 지옥이 됐고, 일상적인 우스갯소리에 부부가 깔깔 웃으면 극락이 되고는 했다.

아내는 결혼 전부터 부처님을 싫어하지 않으면서도 왠지 남편이 말하면 자꾸 반발했다. 남편은 그런 아내가 야속했다. 세상을 살맛나게 해주는 이 보배로운 길을 왜 보지 못할까? 죽기 전에 이 좋은 법을 아내가 절실하게 느꼈으면 하는 바람이 너무나 컸다. 하지만 아이러니하게도 입을 열어 부처를 말하는 순간, 두 사람의 요철(凹凸)은 뒤틀리고 어긋나버린다.

그렇다고 남편 입장에서는 쉽게 포기할 일도 아니었다. 이 세상에 태어나서 유일하게 인정할 수 있는 진리가 바로 이 길이고, 사람으로 태어난 이상 이 공부를 안 하고는 제대로 살았다고 말할 수 없다.

그렇기에 단 하나의 소원이 있다면 사랑하는 사람이 이 길과 인연을 맺는 것이며, 그러려면 무슨 수를 써서라도 이 공부 길로 인도해야 했다.

그러던 어느 날이었다.

남편이 늘 입에 붙이고 사는 무상계無常戒를 흥얼거리며 공방에서 의자를 만들고 있을 때였다.

천당불찰天堂佛刹에 수념왕생隨念往生하리니

(천당의 극락정토 이제 마음 따라 왕생하리니)

쾌활쾌활快活快活이로다

(참으로 기쁘고 환희로운 일이로다.)

그때 공방의 문이 열렸다. 점잖게 얼굴을 들이민 사람들은 이웃 종교의 신자들이었다. 그들은 열성적으로 천당이야기를 설파했다. 그런데 그 눈빛이 누군가를 많이 닮았다. 삶의 길에 대한 확신에 찬 눈빛, 진리에 대한 믿음, 길 잃은 어린양을 안타깝게 보는 자비의 눈.

그 신자들과 남편의 얼굴은 너무나 닮아 있었다. 반면교사라고 했던가? 남편은 그날부터 아내에게 아무것도 강요하지 않기로 결심했다.

남편은 경전을 보려할 때는 아내가 안 볼 때만 보고, 개그콘서트를 비롯한 코미디 프로그램들을 더 열심히 챙겨 보았다. 그런데 어찌 된 일인지 남편의 웃음이 더 많아졌다. 아내를 웃기려고 보았던 프로그램들이었지만 그것들을 보고 있노라면 통증도 잠시 잠깐씩 잊히고, 웃지 않을 재간이 없었다.

병이 심각한 상황에서도 낄낄 웃는 남편을 본 아내는 어처구니가 없어 웃고, 남편 웃음에 감염이 되어 또 웃고, 철없는 바보 같아 보이는 남편 때문에 또 눈물 섞인 웃음이 나왔다. 무상계 구절처럼 부부가 나름대로 쾌활쾌활이었다.

아내를 웃겨보려는 남편이 고마워서 웃고, 안쓰러워서 웃던 아내가 어느 날인가부터 남편이 제일 좋아하던 경전인 무상계를 허밍으로 따라 하기 시작했다. 본인 자신도 의식하지 못하고 유행가처럼 아는 곳은 흥얼흥얼 더듬거려가며 설거지를 하고 있었다. 그런 아내를 본 남편의 얼굴에 환한 미소가 돌았다. 두 사람은 그렇게 짜맞춤이 되어가고 있었다.

남편은 얼마 후, 자작나무 의자와 허허로운 웃음소리만 남긴 채 이승에서의 소풍을 끝냈다.

햇살이 흔들의자를 환하게 비추는 날이면 아내는 남편이 많이 그리워진다. 그럴 때면 아내는 남편이 좋아하던 무상계를 흥얼거린다.

그 소리에 햇살을 튕겨내던 자작나무 의자가 아주 작고 여리게 혼자서 흔들거린다.

그것을 본 아내가 혼자 웃고 있다.

기억중개인, 달중

기억중개인!

달중 스님은 기억을 사고판다. 다른 선승들이 가부좌를 틀고 참선에 전념할 때, 달중은 좋은 기억이 있다는 곳이면 땅끝까지라도 달려간다. 빈부귀천 남녀노소를 가리지 않는다.

질 좋은 기억을 만나 함박웃음 지으며 거래할 때도 있지만, 가끔 해괴한 망상을 기억으로 꾸민 고객 때문에 당황스러울 때도 있다. 하지만 아무리 난처한 경우라도 실망하지는 않는다. 그들 나름대로 삶이 팍팍하여 새어나온 신음이라 생각하기 때문이다.

고객을 만나면 먼저 경계를 풀어야 한다. 그래야 질 좋은 기억이 술술 쏟아져 나온다. 처음에는 자신의 은밀한 기억을 팔거나 산다는 것이 낯설어 입을 떼지 못한다. 하지만 한번 혀가 돌기 시작하면, 그 시절로 돌아가 감동과 눈물로 밤을 지새운다. 빙의가 따로 없다.

기억을 사러 갈 때는 발걸음이 가볍다. 좋은 기억을 가진 고객과는 서로 파안대소하며, 접속할 수 있기 때문이다. 곤혹스러울 때는 자신은 좋은 기억이라지만 남이 듣기에는 처절한 고통의 기억일 경우이다. 기억이란 원래 주관적이라 아름다운 기억이라고 우기면 속수무책이다. 그런 고객이 사 달라고 떼를 쓸 때 난감해진다. 그렇다고 인정에 끌려 무조건 사 줄 수는 없다. 달중도 장사를 하는 어엿한 중개인이기 때문이다. 그런 기억을 대가를 주고 사면 폐기할 확률이 크다.

때로는 듣기에도 끔찍한 기억을 가진 고객이 있다. 형편이 어려워 그 기억을 팔겠다고 고집하면 난처해진다. 그런 고객은 즉석에서 '망각'을 위해 기억을 삭제시켜 줄 수밖에 없다. 하지만 이런 작업 또한 위험하다. 삭제된 자리는 텅 빈 공간으로 남겨지기 때문이다. 이 빈자리는 자칫 치매를 유발할 위험이 크다. 고로, 아주 심한 경우 이외에는 삭제하지 않는다.

기억을 팔러 갈 때는 발걸음이 무거워진다. 기억을 판다는 것은 사는 사람이 있다는 뜻이다. 그런데 사는 고객 대부분은 고통스러운 기억을 가진 사람들이다. 끔찍한 기억이 차지하고 있는 자리에 달중이 미리 매입해 놓은 좋은 기억을 이식해주기를 바라는 고객들이다. 잘못된 판단에 의해 상처로 남아버린 흉물스러운 기억은 삭제하고, 비록 남의 기억일지라도 이 세상이 살만한 가치가 있다고 느낄 만한 행복의 기억을 새롭게 이식해주는 과정이라고 보면 된다.

달중은 자신이 기억중개인이라는 사실에 무한한 감사를 느낀다. 방방곡곡 면면촌촌 안 찾아다니는 곳이 없으며, 수많은 중생을 만난다. 함구할 것을 다짐시키며 은밀하게 거래를 시도하는 고관대작에서부터 손이나 한번 잡아보자는 장터의 국밥집 아주머니까지. 그야말로 화엄의 세계를 휘젓고 다닌다. 그들과 같이 울고 웃으며 마음을 치유해 주고 있다는, 그 벅찬 보람은 이루 말할 수 없다.

달중이 기억중개인이 안 되었다면 그는 이미 이 세상 사람이 아니었을 것이다. 20살 시절, 아버지는 승려가 된다고 출가하시고, 혼자 남은 어머니는 사고인지 자살인지 모를 교통사고로 돌아가셨다. 그나마 버팀목이 돼주었던 여자 친구는 매몰차게 이별을 고하고 이민을 떠나버렸다. 떠올리기도 싫은 기억이 차고 넘치는 삶이었다. 황량한 세상에 홀로 내팽개쳐졌다고 생각했다. 그 기분을 20살 나이가 감당하기에는 너무 힘겨웠다.

'얼마나 재수 없는 놈이면 날 이렇게 쉽게들 버린단 말인가!'

그때 달중은 마지막으로 아버지가 계신다는 산중에 절을 찾아가기로 했다. 절 앞 나무에 보란 듯이 목을 매달 작정이었다. 복수하는 심정이었다. 하지만 나무에 걸어놓은 밧줄에 매듭을 묶기는 쉽지 않았다. TV나 소설을 보면 아주 쉬워 보였으나 현실은 그렇지 않았다. 아무나 묶는 게 아니었다. 허공에 매달리면 떨어지고, 다시 일어나 매달리면 또 떨어지고, 도합 예닐곱 번을 계속 엉덩방아를 찧었다.

기진맥진해 있을 무렵, 멀리서 그 이상한 짓을 보던 한 스님이 내려왔다. 그 스님은 밧줄 매듭 하나 못 묶는 달중을 보고 가갸걀걀 웃음을 터트렸다.

'내가 대신 매듭을 묶어주랴? 그 전에 네 기억이나 나에게 팔아라! 가갸걀걀'

그렇게 고참 기억중개인이었던 스님은 달중에게 기억을 이식해주는 법을 가르쳐주었다. 달중은 이제 자신과 같은 심정인 사람들에게 매듭을 묶는 것이 아니라, 푸는 법을 가르치기 위해 전국을 떠돌아다닌다. 자신과 같이 도려내고 싶은 기억을 가진 사람들을 찾아….

달중이 영덕 강구항에 있는 옥다방을 찾았을 때였다. 거기서 자신의 기억을 팔려는 옥같이 고운 삼십 대의 여자 고객

3막 가을,

을 만났다. 그녀는 첫눈에도 불행해 보였다. 대개 그런 표정을 가진 사람은 행복한 기억을 구매해서 이식받으려는 사람이다.

"저는 남편과 끔찍한 결혼생활을 하고 있어요. 그런데… 저를… 살게 하는 것은 고등학교 때 만난 첫사랑 그 아이와의 기억 때문에 견디고 있어요. 지금 남아 있는 것은 딱 두 장면의 기억이에요. 제게는 너무나 소중한 기억이에요. 이것을 팔고 싶어요."

"어떤 기억인가요?"

"하나는 어느 4월, 벚꽃이 함박눈처럼 분분히 날릴 때 가로등 전등불 아래서 그 아이와 아주 아주 오랫동안 첫 키스한 장면이구요. 나머지 하나는 내 따귀를 때린 장면이에요."

"따귀를 맞은 장면이 행복한 기억인가요?"

"네. 내가 마음에도 없이 헤어지자고 하니까… 그 아이가… 울면서 그렇게 한 거예요. 나에게는 사랑한다는 말보다 더 달콤한 따귀였어요… 지금도 떠올리면 너무 행복한 장면이에요."

달중은 여자들의 마음은 알 수 없다고 생각했다.

"가장 행복한 기억 두 개를 다 팔아버리면 당신은 어떡할 겁니까?"

3막 가을/

여자는 말없이 슬픈 미소만 지었다. 달중은 이 기억들을 살 수 없었다. 이 기억을 다 팔아버리면 저 여자의 인생도 끝날 것이라는 생각이 스쳤다. 마지막 기억까지 세일로 정리해버리려는 상품은 불량품이다.

"좋아요. 한 장면은 내가 사고 대신 한 장면은 내가 가지고 있는 기억 상품과 교환하죠."

여자는 눈을 말갛게 뜨고, 영문을 몰라 했다. 달중은 그녀의 휴대폰에서 남편 사진을 확인했다.

"내 눈을 봐요. 그리고 한 손은 내 손을 잡으세요."

달중은 남은 한 손을 들어 두 개의 손가락을 펴서는 그녀의 미간에 수직으로 갖다 대어 그녀의 기억과 접속했다. 송과체에 기감이 닿자 고통스럽거나 죽을 때 가장 많이 분비되는 엔도르핀이 분비되었다. 그녀가 황홀한 러너스 하이와 같은 달뜬 상태에 이르렀을 때, 달중은 빠르게 따귀를 맞은 장면을 꺼내 칩에 넣을 수 있었다. 그리고 가로등에서 키스하던 남자의 얼굴을 여자 남편의 얼굴로 페이스오프 시켰다.

이제 여자는 남편의 얼굴을 한 남자와 키스를 하고 있는 따스한 기억을 가지게 될 것이다. 이것을 시작으로 남편과의 관계를 개선시킬 희망을 가지게 될지도 모른다. 그 이상은 달중도 어쩔 수 없었다.

달중은 기억중개인으로 떠돌면서 무심의 힘을 떠올린다. 세상 사람들이 무심하게 세상을 살 줄 알게 된다면 더는 자신과 같은 기억중개인이 필요 없게 된다. 그러나 오욕칠정의 짜릿한 달콤함에 푹 빠져 사는 '낙'을 가진 대다수 사람들은 구태여 맹물에 밥 말아놓은 것 같은 무심을 찾지 않는다. 무심 또한 아무에게나 다가가 그 맛을 보여주지 않는다.

무심은 아무 생각도 어떠한 분별도 없는 것이 아니라, 생각과 분별을 하면서도 끄달리지 않게 한다. 필요할 때 생각을 가져다 쓰고, 용도에 맞게 누구보다 선명하게 분별하게 할 줄도 안다는 말이다.

어떠한 좋은 기억, 끔찍한 추억 할 것 없이 무심이라는 용광로에 닿기만 하면 눈송이처럼 모조리 녹아내린다. 기억을 덮어두거나 외면하는 것이 아니라 뿌리 없는 '허공 꽃'임을 알아 흐르도록 놓아둔다. 가만히 흐르게 놓아둘수록 모진 기억들은 더는 내 안에 머물지 않고 떨어져 나가게 된다. 무심은 모진 기억이 생겨났던 자리, 손톱만큼도 자리 이동하지 않은 바로 그 상처의 자리에서, 잠시도 머물지 않는 '생기 꽃'으로 다시 피어나게 한다.

달중은 오늘도 선방에서 가부좌를 틀지 않고 고객을 찾

아 나선다. 정신과에서 포기한 심각한 환자일수록 신이 난다. 그들을 만나서 직접 손을 대어 그들의 중생심을 생생하게 매만진다.

달중은 언젠가는 아버지를 만날 것임을 짐작한다.

그가 기억을 사려는 사람인지 팔려는 사람인지 몹시 궁금하다.

세상에는 기억중개인, 달중을 찾는 사람이 너무나 많다.

기억은 곧 그이거나 그녀의 삶 그 자체다.

기억의 부정은 삶의 부정이다.

삶은 부스러기 기억들이다.

5월, 식구

5월. 일 년 중 가장 챙겨야 할 날이 많은 달이다. 5일과 8일은 각각 어린이와 어버이를 위한 날이다. 15일은 스승의 날이며 21일은 둘⁽²⁾이 하나⁽¹⁾가 된다는 부부의 날이다. 25일은 석가탄신일이다.

여자는 기념일이 되면 뉴스 화면에서 보았던 대로 행동했다. 막내 아이와 놀이공원을 가거나 부모님 집에 들러 카네이션 한 송이와 용돈 봉투를 쥐여 드렸다. 스승의 날 역시 참선을 지도해준 스님을 뵙고 식사를 하고, 부처님 오신 날에는 버릇처럼 사찰을 찾아가 연등을 달고, 설거지 봉사활동과 기도를 했다. 그리고 밀린 숙제를 치른 느낌에 개운해 했다.

그렇게 남들이 하는 것처럼 아무런 감동 없이 예의와 격식을 차리다 보니 어느 순간, 허허로움을 느꼈다. 자판기에 동전을 넣고 커피를 뽑아먹듯 무감각한 세월을 보내고 있는 자신이 보였다. 먹고 살기에 바빠서, 시간이 없어서, 나중에 경제적 여유가 생기면 사람들을 잘 챙겨주어야지 하는 바람만

가지고 산 지 수십 년째였다.

희노애락애오욕喜怒哀樂愛惡慾의 감정이 화석처럼 굳어지고, 몸 여기저기가 결리고 저리면서 회한과 함께 분노怒의 감정만 날이 갈수록 살이 찌고 있었다. 그에 반해 나머지 감정들은 점점 더 무덤덤해져갔다. 조카가 아기를 낳아도, 친구가 암에 걸려도, 잠시 놀랄 뿐 어차피 남의 일인데… 하는 생각에 화제 삼아 몇 마디 들먹이고는 별다른 감흥을 느끼지 못했다. 감정의 미아가 되는 것 같아 불안했다.

'난 평생 결정적 순간을 카메라로 포착하길 바랐다.
그러나 인생의 모든 순간이 결정적 순간이었다.'

사진작가 브레송이 그랬다던가? 하지만 여자는 결정적 순간은커녕 모든 순간이 참고 견뎌야 할 순간이었다.

5월을 가정의 달이라고 말하는 것은 가장 가까운 사람들과의 관계를 다시 새겨보고, 감사함을 느끼라는 의미다. 하지만 여자에게는 5월이 오히려 위험한 달이다. 참아야 할 순간들이 많은 5월이기에 그렇다. 가장 가까운 사람들이 가장 큰 기쁨도 주지만, 가장 큰 고통도 안겨준다. 애증이다.

가정의 사전적 의미는 가까운 혈연관계에 있는 사람들의

생활 공동체를 말한다. 그 가정의 식구食口는 한 밥상에 앉아 숟가락을 마주 들고, 입을 크게 벌려 함께 밥을 먹는 사람들이다. 숟가락과 젓가락만큼이나 깊은 관계다. 그렇게 내 것 네 것 가리지 않고 '숟가락'을 함께 섞어 쓰는 만큼 갈등도 뿌리가 깊다.

오랜 기간 되풀이된 문제기에 해결책도 마땅하지 않고, 화해도 쉽지 않다. 그래서 기념일이면 식구들 집에 들러 뉴스에 나오는 평범한 사람들처럼 억지 미소를 띠우고 인사하고 웃고, 문제를 덮어버린다. 그것이 가장 무난한 선택이었다. 하지만 돌아오는 길에는 늘 걸러지지 않은 앙금이 뒤꼭지를 쿡쿡 찔러댄다.

여자는 올해부터는 남들과 달리 5월 기념일에 '화'를 내볼 생각이다. 사랑과 화합의 달이었지만, 임시 모면하는 화합은 억지 봉합된 지뢰밭의 위태함과 다를 바 없었다. 언제까지나 갈등이 두려워 외면하고, 피할 수만은 없는 일이다.

문제는 '화' 자체에 있는 것이 아니고, 얼마나 진심을 가지고 내 마음을 표현하느냐는 일일 것이다. 화병은 억울한 마음을 삭이지 못해, 불끈하여 성을 잘 내는 울불鬱怫한 병이다. 마음에 걸림이 많으니 막힌 수도관처럼 팽창하고 폭발하는 것이다.

여자는 평생 화를 낸다는 것은 죄악으로 생각했다. 일곱 가지 감정 중에 가장 빈번하고 재채기처럼 감추기 힘든 것이 화였다. 반면에 가장 위험한 게 화였고, 본인만 화를 내지 않고 있다고 착각하는 게 화였다. 나머지 감정들이야 후유증이 고만고만했지만, 화 한번 잘못 냈다가는 관계가 끊어지기도 하고, 무식한 인간이라는 비난은 물론 특히 '여자의 화'는 막돼먹은 년이라는 소리를 듣기 십상이다. 그만큼 위험한 시도였다.

여자는 지금까지 자신이 화를 참고 참은 덕분에 그나마 가정이 깨지지 않고 이만큼 유지된 것이라는 자부심이 있었다. 그러나 5월 달력을 딱 보는 순간, 여기저기 쓰여 있는 수많은 '~~날'들을 보며 가슴이 답답해졌다. 직업훈련만 몇 년째 받고 있는 큰 아이와의 갈등이 그렇고, 은근슬쩍 바람을 피우는 남편이 그랬으며, 망상이 많다고 눈물이 쏙 나오게 호통치는 스님이 서운했고, 엄마를 핍박하는 아버지가 못마땅했다.

여자는 아버지와의 갈등으로 일 년이면 설날과 생신 그리고 어버이날에만 부모님 집을 방문했다. 당하기만 하는 엄마를 대변해주느라 생긴 갈등이었지만 아버지에게 더 이상 물러서기도 싫었다.

그들은 알까? 꾹꾹 눌러 참느라 울화에 시달리는 이 미어지는 가슴을…. 이제는 표현해보리라. 화는 참는다고 사라지는 것이 아니었다. 어디엔가 똬리를 틀고 있다가 생각지 않은 엉뚱한 상황이나 애꿎은 사람에게도 폭발했다.

오랜 세월 부처님 말씀대로 참고 또 참으면 그들도 언젠가는 알아주겠지 했지만, 그들은 변할 기색이 없어 보인다. 아니, 여자가 견디고 있다는 사실조차도 알지 못했다. 화만 눌러 참다 보니 오히려 원망만 늘어 말투도 화를 낸 것도 아니고, 따뜻한 목소리도 아닌 삐딱한 목소리만 튀어나가기 일쑤였고, 여자가 갈등을 피하느라 표현하지 않은 탓에 그들의 잘못도 계속 반복되었다.

여자가 화로 자신을 표현한다는 것은 서로를 더 이해할 수 있는 방법일 수 있었다. 화의 목표는 현실을 정확히 인식시키고 상대를 개선시키는 것이다. 싸우자는 것이 아니었다. 그렇다면 어떻게 세련되게 목적을 달성할 것인가.

여자는 조심스러웠다. 말이 좀 나가면 자신도 모르게 흥분하여 속된 말로 꼭지가 돌아 버릴까봐 걱정됐고, 상대의 잘못을 지적한다는 것은 자신은 똑바로 행동하고 있다는 것이 전제가 되어야하는 일이었다.

최고의 난적은 아무래도 아버지였다. 아들과 남편은 진압

이 가능한 대상들이었다. 여자의 화로 인해 틀어졌다가도 다시 봉합될 수 있는 조금은 더 만만한 '숟가락'들이었다. 하지만 아버지는 차원이 달랐다. 고아로 자라나 평생 궂은일을 하며 자식들을 키운 사실을 잘 알기에 여자는 아무리 바른 말이라도 입을 다물고는 했다. 그런 아버지가 유독 엄마에게는 당신의 고통스러웠던 삶이 엄마 탓인 양 몰아붙였다. 절약이라는 명분아래 돈을 쥐고 생활비 병원비를 눈에 띄게 적게 주어 핍박하였다. 같은 여자로서 엄마의 자존심 뭉개지는 소리가 들리는 듯 했다.

여자는 무엇보다 아버지의 마음 그릇이 안타까웠다. 평생을 부인 탓만 하다가 기울어 가는 인생의 황혼이 아름다워 보일 리 없다. 아버지의 판단이 백 번 천 번 맞는다 해도 인생을 부인에게 모조리 잡아먹히는 삶은 사내대장부가 할 짓이 아니다.

5월 8일, 어버이날. 아버지가 출타를 하신다고 했다. 여자는 자신을 피하기 위해 그러는 것이라고 생각하고 남편과 아이만 부모님 집에 보냈다. 소통을 위한 '화'를 내 볼 기회도 가질 수 없게 되었다.

여자는 아버지에 대한 분을 삭이며 설거지를 하고 있었다.

큰 아이에게 전화가 왔다.

"할아버지가 병원에 가셨는데… 그런데 무슨 신경정신과 같은데?"

그날, 큰 아이가 어렵게 발견한 할아버지의 약 봉투를 들고 왔다. 봉투에는 신경정신과라는 활자가 선명하게 찍혀 있었다. 다음날 여자는 아버지와 일주일에 세 번은 만나는 가장 친한 친구분에게 전화를 했다.

"네 아버지 화병 때문에 정신과 병원 다니는 거야."

친구분의 말씀이었다. 여자는 가슴이 쿵하고 내려앉았다.

"부인은 어떻게 해보겠는데 딸 때문에 울화가 나서 못 견디겠대. 딸이 제일 걱정이라네. 혹시 이혼이라도 할까 봐 걱정도 많이 되고, 형편이 어려운 것도 보기 싫고…. 자기를 보기만 하면 싸늘하게 쳐다봐서 아주 힘들다고 그러더만… 딸에게 화를 한번 내볼까 하면서도 그렇지 않아도 힘든데 혹시 기나 꺾는 게 아닐까 해서 말도 못하고… 말한다고 해서 딸이 변할 것 같지도 않을 것 같아서 아주 울화통이 터져 미칠 지경이라네…. 뭘 어떻게 해야 될지 모르겠다고 말이야. 좀 잘해드려… 네 아버지 지금 화병 때문에 삼 년 째던가? 정신과 약 먹은 지 오래됐어… 하나 있는 딸만 몰랐구만…."

여자는 설거지를 끝내고 수저통을 바라보았다. 수저통에는 가지런히 정리된 숟가락과 젓가락들이 꽂혀 있었다. 그중에 거꾸로 꽂혀 있는 숟가락 하나가 눈에 거슬렸다. 예전 같으면 냉큼 똑바로 꽂아 놓았겠지만, 이제는 왠지 내키지 않았다. 거꾸로 꽂힌 숟가락도 수저통에 함께 꽂혀 있을 자격이 있었다.

식구食口들의 숟가락이니까.

크고 작은 제각각의 숟가락이니까.

여자는 고무장갑을 낀 양손으로 싱크대를 받치고, 물구나무를 선 숟가락을 바라보며 한참을 그렇게 서 있었다.

아내 덕이다

아내가 죽었다. 남자는 아내가 급작스럽게 교통사고로 이 세상에서 사라져버린 후, 무릎이 꺾였다. 바깥으로 나가기도 싫었고, 돈을 벌고 싶은 마음도 사라졌다. 아내의 죽음은 배신이었고, 반역이었다. 숱하게 남의 장례식장을 다녀보았지만, 아내의 죽음은 낯설고 비현실적이었다.

아내의 49재를 마치고도 한동안 정신을 차릴 수가 없었다. 직장에 사직서를 냈고, 초등학생 아이는 할머니 집에 맡겼다. 도저히 아이까지 추스를 힘을 낼 수 없었다.

집안에 틀어박혀 스마트 폰에 저장된 생전의 아내 사진을 닳도록 보았고, 그녀가 생전에 부른 노래 파일만 듣고 또 들었다. 아내를 보고 싶었다. 만나러 가고 싶었다. 세상 모든 일이 부질없어 보였다. 젊은 시절 불렀던 '이러다가 오래 못 가지, 이러다가 끝내 못 가지'라는 노랫말이 머릿속에 맴돌았다.

그간의 마음공부는 흔적 없이 사라졌다. 아무 도움도 되지 않았다. 머릿속으로는 빨리 정신을 차리고 무릎을 세워, 아이를 데려와 정상적인 삶을 살아야지 했지만, 입으로만 중얼거리는 공염불이었다.

몸이 움직여지지 않았다. 심원의마心猿意馬라고 했던가. 생각은 원숭이 같고, 뜻은 말과 같이 뛰놀았다. 하루에도 몇 번씩 이 세상에서 소멸하여 버리거나, 자신을 몽땅 탕진해 버리고 싶은 충동이 일었다.

파멸,

스멀스멀 온몸에 퍼지는 속삭임이었다.

누군가는 바닥을 쳐야 다시 솟아오를 수 있다고 조언을 해주었고, 또 누군가는 지금의 절망을 피하려 하지 말고 마주 보라고 했지만, 남자의 귓속에는 들리지 않았다. 어디까지가 바닥이고 무엇이 절망인지 알 수 없었다. 허공 꽃 같은 말 부스러기들이었다. 경전 속의 부처님 말씀도 남자에게는 소화불량의 거친 음식이었다. 지당하신 말씀이었지만 막상 눈으로 읽어보면 겉도는 모래알이었다. 하릴없이 떠도는 글자들일 뿐이었다.

잠이 오지 않았다. 시간을 때우기 위해 본 인터넷 영화는 눈곱만치만 슬퍼도 눈물이 마구 흘러내려 볼 수가 없었고, 코믹 영화는 자신도 모르게 웃음을 툭 터져 나와 당혹스러웠다. 웃는 것도 우는 것도 힘겨운 일이었다. 책이나 영화를 보는 것을 포기하고, 음악이나 사람들의 조언 듣는 것도 포기하니 시간이 멈춰선 기분이었다. 안이비설신의眼耳鼻舌身意가 차단된 형국이었다.

남자는 잠을 자기 위해 몸을 혹사하기로 마음먹었다. 피곤하면 난마 같은 마음도 잊고 잠을 잘 수 있을 것 같았다. 아무 생각도 분별도 할 수 없는 잠, 그것만이 유일한 탈출구였다.

문득, 미칠 것 같던 남자의 눈에 산이 보였다. 단독주택 단지 바로 뒤가 산이었다. 지금까지 십여 년을 살아온 곳이었지만, 코로 맑은 공기만 들이마실 줄 알았지 산에 올라갈 생각은 하지 못했다. 지금까지 산은 가까이 있어도 눈에 들어오지 않는 정물화에 불과했다. 아내 역시 지금까지 가까이 있었어도 정물화에 불과했다. 하지만 죽어서는 오히려 남자의 가슴에서 펄펄 살아나서 온갖 말과 기억을 쏟아내고 있었다.

첫날, 마을 사람들만 이용하는 진입로를 이용해 산행을 시작했다. 입구에서 굴러다니던 나뭇가지를 주위들었다. 등산 지팡이로 쓸 만했다. 인적 없는 오솔길을 오르자 작년 가을에 떨어져 수북이 쌓인 낙엽들이 발에 밟혔다. 한때 푸르렀던 시절이 있었던 고동색 잎사귀들은 처서가 지났는데도 조금도 썩지 않았다.

한 걸음 한 걸음이 힘겨웠다. 중간에 다시 내려가 버릴까 하고 몇 번이고 멈추어 섰다. 심원의마의 희롱에 시달렸다. 나무를 부여잡고 두어 시간을 오르니, 폐허 위에 암자 터가 나왔다. 소문으로만 듣던 곳이었다. 언제가 아내와 함께 암자 터를 오르다 큰 들개와 마주치고 중간에 포기한 기억이 떠올랐다.

암자 터는 황량했다. 기둥이 세워졌을 부서진 주춧돌과 쓰러진 낮은 돌담에는 이끼가 가득했고, 깨진 기와 조각들은 군데군데 흙 속에 파묻혀 있었다. 남자는 먼 볕에서 암자 터를 일별하고 일주문 역할을 해주고 있는 삼족오三足烏를 닮은 나무를 문득 껴안았다. 나무는 머리를 땅속에 박고 물구나무를 선 형상으로 세 개의 다리를 하늘로 뻗고 있었다. 삼족오 나무는 태양에서 산다는 세 발 달린 까마귀의 물구

까악 까악

226

나무선 모습이었다. 남자는 까마귀 나무의 다리 하나를 붙들고 아내를 쌍소리로 욕하며 서글픈 눈물을 쏟았다. 머리 위에서는 삼족오 나뭇가지에 앉아 있던 진짜 까마귀가 까악까악 함께 울어주고 있었다.

남자는 나무를 다시 한 번 힘 있게 껴안았다. 철갑 같던 나무의 껍질에 볼이 아프게 닿았을 때, 서러운 속눈물이 새롭게 울컥 솟았다. 그 꺼칠하고 무심한 나무의 질감이 남자의 알 수 없는 무엇과 공명한 것이다. 묵언 중인 나무에게 허리를 깊이 숙여 고마움을 표했다. 아내에게 작은 소리로 '미안해'라고 말해 주었다. 나불대는 까마귀에게도 휘파람으로 말을 붙여보았다.

남자는 다음날부터 거짓말처럼 눈이 떠지고, 발걸음이 암자 터 앞, 삼족오 나무로 향했다. 자신의 의지보다는 '산이 나를 부른다'는 표현이 더 정확했다. 어떤 날은 세차게 비가 와도, 태풍이 불어도, 짙은 안개가 끼어도 상관없었다. 오히려 그런 날은 또 다른 산 맛을 안겨주었다.

하루도 산의 표정을 예상할 수 없었다. 색깔도 다르고 냄새도 달랐다. 아침밥을 준비 중인 거미들은 늘 길을 가운데 두고 나무와 나무 사이에 거미줄을 쳐서 길을 막아선다. 그럴 때면 남자는 나무 스틱으로 한쪽 거미줄을 떼어내어, 다른 나뭇가지에 거미줄을 옮겨 걸어주었다. 아니면 몸을 최대한 낮추어 기다시피 거미줄을 피해 다녔다. 거미줄이 얼굴에 걸린 날은 그날의 첫 길손이라는 뜻임도 알았다. 낙엽 바스락거리는 소리의 크기로 어떤 새인지가 짐작되었다.

다음 날, 새벽에 삼족오 나무를 빨리 보기 위해 전날 일부러 잠을 일찍 자는 날이 늘어났다. 남자는 생각했다. 스트레스를 해소하기 위해 산을 오르는 것이 아니라, 산을 오르기 위한 여유를 가지려고 일을 하고, 돈을 벌고, 사랑하는 것이 아닌가 하는 생각이 들었다. 지금까지 주객이 전도된 몽상으로 살아온 것은 아닌지 의문이 들었다.

살면서 진정 중요하다고 생각한 것들이, 많은 사람이 가치를 크게 부여한 것들이, 과연 진실일까? 하는 의문. 산을 오르며 많은 생각이 뒤바뀌어가고, 날것 그대로의 가장 기본적인 삶의 원칙을 묻게 되었다.

싱싱한 의심이 밀려왔다. 의심 뒤에는 분노도 따랐다. 헛살아왔다는 후회. 아내에 대한 뒤늦은 미안함과 각성. 아내 생전에 잘못 사랑한 것은 아니었나 하는 낭패감. 자신은 죽음

앞에 의연할 수 있을까 하는 불안함. 유한한 삶을 자각하지 못하고 천년만년 살 것처럼 집착하는 어리석음. 산은 가장 원천적이고, 근본적인 물음을 남자에게 툭툭 던졌다.

산은 끊임없이 순환했고, 입이 벌어질 만큼 변화무쌍했다. 지금까지 그 실체를 왜 보지 못했을까. 제행무상諸行無常이라는 말을 얼마나 입에 올렸던가. 하지만 아내가 죽은 뒤에야 때늦은 '변화의 제행무상'을 실감하게 되었다.

남자는 산에 오르는 횟수가 많아질수록 몸과 마음이 벌거벗었다. 물음은 단순해졌다. '생각'보다는 '궁구'하게 되고, '힘없는 답'보다는 '자각의 시원함'이 깊어졌다. 새들과 나무가 남 같지 않았고, 몸은 알 수 없는 생기로 오후 늦은 시간까지 충만했다.

산속에서는 인적이 거의 없는 곳이라 상의와 신발은 벗어던졌다. 뜬구름 잡는 것 같이 들리던 옛사람들의 옛 시가 고스란히 체감되었다. 그들이 옆에 앉아 자연을 찬미하고 있는 것 같았다.

남자는 삼족오 나무에게 넋두리도 하고, 나무에 몸을 부딪치며 기혈을 자극하기도 했다. 긴 시간, 나무 앞에 앉아 상념과 참선을 번갈아 하기도 했다. 무엇보다 삼족오 나무를 끌어안고 있는 시간이 좋았다. 그럴 때면 아내가 하늘에서 눈을 흘겨보고 있는 것 같았다. 새 마누라 얻어서 좋으냐고 묻고 있었다. 남자는 그렇다고 소리쳐 줄 수 있었다. 아내의 죽음은 남자를 새로운 인연에 눈 뜨게 해주었다. 예상치 못한 일이었고, 묘한 일이었다.

남자는 암자 터 앞, 삼족오 나무의 힘으로 도시로 한 걸음 씩 스며들어 갔다. 이대로라면 이 번잡한 도시에서도 충만한 기운을 느끼는 날이 올 것이라는 자신감이 들었다.

오늘도 남자는 새롭게 눈 뜬 인연을 만나러 간다.
아내 덕이다.

부처님이 앉아 있지 않은 앙상한 암자 터는 쓰러진 채로, 폐허의 그 모습 그대로 아름다웠다. 이미 맨발의 오솔길에서 부처를 만났고, 암자 터 앞 삼족오 나무에게서 부처를 만졌다.

아이를 데려와야겠다.
아이에게 삼족오 나무를 소개해 주고, 황량한 폐허의 암자 터, 부처님이 앉아 있었을 금강좌, 그 자리에 아이를 앉게 해봐야겠다. 그리고 금강좌를 향해 절을 해야겠다.

까마귀 떼가 죽을힘을 다해 울고 있다.

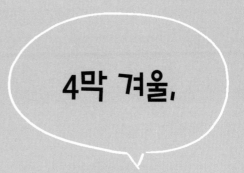

4막 겨울,

도둑이다

믿습니까?

믿음!

자신이 부처라는 사실을 믿어라, 그것을 믿지 않으면 불교 공부는 껍데기에 불과하다. 스님의 말씀이었다. 여자는 도무지 받아들일 수 없었다. 게다가 무심이라니. 주부경력 20년에 냉장고 문을 열면 대충 아무거나 손에 잡히는 대로 썰고, 무치고, 삶으면 한 끼니 일용할 반찬이 만들어지건만, 불법은 만지면 만질수록 알쏭달쏭, 오리무중이었다.

"공부를 제대로 하면 할수록 부처님을 알게 된 것에 대해 눈물만 뚝뚝 떨어집니다. 이보다 더한 안심은 없어요. 부처님 말씀은 부처님이 저작권을 가지고 있는 게 아닙니다. 원래부터 있었던 것들을 눈 밝게 보시고, 부처님의 입을 통해 풀어내 주신 것이죠. 사람 안에 부처 있다는 말을 자꾸 머리로만 생각하고 더듬으니, 소를 타고 소를 찾게 되는 거예요.

자기 눈으로 자신의 눈을 볼 수 있습니까? 자기가 자기에게 퍼질러 앉아버려야 하는데 계속 머릿속에 경전이다, 좋은 말씀이다 해서 집어넣으려고만 한다는 말입니다. 그 아는 게 부처의 길목을 가로막고 있는 겁니다. 내 안에 부처가 있다는 사실을 턱 하니 믿을 때라야만, 내 속의 부처가 숨을 쉬는 거예요. 아는 불교, 지식 불교가 아니라 자성을 믿는 불교여야 합니다.

2천5백 년 전 싯다르타 부처님은 잊어도 돼요. 내 안의 부처를 만져보는 것이 우선입니다. 그것을 안 믿고 지식이나 재주로만 어떻게 해보려 하니 인생이 흐렸다 개었다 하는 거예요. 그렇게 살면 헐떡이게 돼요. 미친년 치맛자락처럼 펄럭이는 대로 살게 된다는 겁니다."

여자는 일주일 만에 집에 다녀가는 길이다. 광역버스에 몸을 싣고, 핸드폰과 연결된 이어폰에서 흘러나오는 법문을 듣는다. 일요일마다 듣는 재적 사찰의 주지 스님 법문도 좋지만, 뭔가 모를 갈증을 다 해갈시켜주지는 못했다. 인터넷에서 본 수많은 법문 중에 깊은 속의 '그 무엇'을 건드리는 스님의 법문을 다운받아 수시로 듣는다. 그마저도 간병인이라는 직업 때문에 마음 편히 들을 수는 없다.

"불교를 모르는 사람도 사는 게 견딜 수 없이 아프면 놓게 돼요. 지금까지 왔던 길을 되돌아보고, 다시 새로운 길에 접어듭니다. 언어 표현이 '새롭다'는 것이지, 겨자씨만큼이나 방향을 틀면 바로 그 옆에 부처가 말한 길이 숨 쉬고 있어요. 불교든 부처든 하나도 몰라도 아무 이상 없습니다. '아~ 내가 지금까지 여기에 취해 살고 있었구나.' 하는 자각만 돼도 뒷골이 시원해집니다. 부처의 길에 들어서는 겁니다."

여자는 〈매트릭스matrix〉라는 영화를 떠올렸다. 세상이 다 내 것만 같았고, 세상의 남자들도 자기만 쳐다보고 있다고 생각하던 생기탱천하던 때 본 영화였다. 내용은 어려웠지만 한 명의 배우만 머리를 떠나지 않았다. 잘 생긴데다가 붓다 역까지 맡은 적이 있던 네오 역의 키아누 리브스가 아니었다. 어처구니없게도 간신배같이 생긴 대머리 콧수염 사이퍼였다. 너무도 아름답고 지당하신 부처님 말씀을 들을 때마다 부처님 등 뒤에는 사이퍼의 그림자가 어른거렸다. 때때로 자신 안에는 부처가 아니라 사이퍼가 살고 있는 것은 아닌가 싶다.

영화 속 사람들은 선택해야 했다. 진실의 세계를 보여주는 빨간약을 먹어야 할지, 꿈과 같고 허깨비 같고 거품 같은 여몽환포영如夢幻泡影의 매트릭스 세계에 남게 해주는 파란약을 삼켜야 하는지.

사이퍼도 처음에는 네오처럼 빨간약을 선택해 꿈같은 매

트릭스에서 벗어났다. 하지만 이내 여몽환포영의 세계지만 마음껏 즐길 수 있는 매트릭스 세계로 돌아가기를 원했다. 여몽환포영의 세계로 가고 싶은 사이퍼는 군침 흐르는 스테이크를 자르고 와인을 마시면서 스미스 요원에게 말했다.

"나도 알아. 내가 느끼는 맛이 가짜라는 거. 진짜 맛있는 게 아니라 스테이크가 입에 들어가면 내 머리로 '맛있다'라는 전기신호가 가고 그렇게 느끼는 거지. 이건 분명 가짜야. 하지만 그게 무슨 상관이야? 진짜라고 비참한 것보다는 가짜라도 편한 게 더 나은 거 아닌가?"

사이퍼는 진실의 세계와 꿈속 같은 매트릭스를 다 경험했다.

"내가 깨달은 게 뭔지 알아? 모르는 게 행복이라는 거야. 진실 따위는 상관없어. 그냥 잘 먹고 잘 살았으면 좋겠어! 날 매트릭스로 다시 돌려 보내줘. 그리고 영화배우 같은 유명한 인물로 만들어줘."

사이퍼는 '참 나'라거나 '꿈을 깬 실상의 세계'를 거부했다. 여자는 사이퍼를 탓할 자신이 없다.

광역버스가 가다 서기를 반복했다. 도로에는 행락객들의 차량으로 가득했다. 여자는 자신을 기다리고 있을 황 노인을 떠올렸다. 욕창에 치매까지 있어서 다른 간병보다 특별보너스를 좀 더 받기는 하지만 다른 환자보다 품은 두 배로 들었다.

　팔정도.
　고를 끊는 여덟 가지 길에 대한 방법. 바로 보고, 바로 말하고, 바로 생각하고, 바로 행동하고…. 핸드폰에 계시는 스님은 팔정도는 노력해서 되는 것이 아니라, 내 안의 부처를 경험하면 팔정도는 자연스럽게 따라온다고 했다.
　여자는 병원에서 수없이 부처님 가르침대로 무심하려고 했지만, 빨간약과 파란약은 끊임없이 선택을 기다렸다. 보호자가 주머니에 손을 넣을 때마다 보너스라도 더 챙겨주지 않을까 해서, 자신도 모르게 기대를 한다. 환자를 볼모로.
　"부처의 세계는 따분할 틈이 없는 곳입니다. 잡념이 없고, 다툼이 쉽게 됩니다. 어떤 환경에 놓이게 되더라도 저절로 평화스러운 미소가 솟아납니다. 그 미소는 돈으로도 명예로도 살 수 없습니다. 이 공부는 한마디로 노다지 캐는 공부입니다.
　자신을 믿으면 남이 나를 못 속입니다. 스스로 자신을 못 믿고 의심하니까 남에게도 속는 것입니다. 돈에 속고 사랑에 속고 세상에 속습니다. 공부를 바로 하면 허망한 것들이 붙으려야 붙을 수가 없습니다. '심무가애 무가애고 무유공포'가 됩니다. 마음에 걸림이 없고, 마음에 걸림이 없으므로 두려움이 없게 됩니다. 먼 이야기 같습니까? 그렇다면 벌써 내 안의 부처를 안 믿고 있다는 말입니다."

여자는 찔끔했다. 그런 경지는 특별한 수행을 하는 사람들 이야기 같았으니까. 그런데 자신 안의 부처를 믿으라는데 생각으로 안 믿고 도대체 어떻게 믿으라는 것인지. 이리저리 머리를 굴려도 알 수 없었다.

하지 말고 해라?

부처가 되려고 하는 짓을 멈추어야 부처의 길?

공부하려고 하지 않는 것을 해야 진짜 공부?

"부처는 당신의 번뇌 망상이 있는 바로 그 자리에 있는 것입니다. 찰나찰나 한순간도 자신을 떠나있지 않습니다. 하품할 때, 오줌 쌀 때, 남을 미워할 때, 망상을 피울 때조차도 함께 있는 것입니다. 보려고 해서는 보이지 않고, 물어서 알 수 있는 것이 아니고, 이미 있는 것이기 때문에 따로 구할 필요조차도 없는 것입니다. 이미 있는 것이기에 믿음 속에서만 그것을 감지할 수 있는 것입니다. 절대 찾는다고 찾아지는 게 아닙니다."

여자는 광역버스에서 내려서도 핸드폰 속 스님의 말씀을 귀에서 빼 버리지 않았다.

어제 오전에 황 노인에게 방수시트를 깔아주지 않은 게 마음에 걸렸다. 시트를 깔았다면 바지를 벗기고 맨살로 그냥 침대에 누워 얇은 이불만 한 장 덮었어도 통풍이 잘되었으련만… 욕창은 원래 빠르게 진행되기 때문에 항상 조심해야 한다.

병실로 올라가는 여자의 발걸음이 급해졌다.

"자기를 믿어야 합니다. '나는 부처다' 하고 생각으로 가지고 들어가지는 말아야 합니다. 생각을 쓰기 전에 이미 있는 것입니다. 배고프면 배고픈 줄을 아는 것, 졸리면 배우지 않아도 하품할 줄 아는 것, 엄마 아빠에게 선생님에게 배우지 않아도, 생각으로 계산하지 않아도, 스스로 알아서 작용하는 것을 믿어주는 것입니다. 이것을 안 믿고 조각해 놓은 법당 위의 누런 부처님을 떠올리는 게 아닙니다. 스스로 그러하게 작용하는 자성을 믿는 것입니다. 불교는 많이 아는 것이 병입니다. 오직 믿음으로 궁구하세요. 믿습니까?"

병실 앞에 선 여자는 이어폰으로 연결된 스님과의 연결을 해제했다.

핸드폰 스님은 전기신호를 더는 남기지 않고 사라졌다.

여자는 심호흡했다.

병실 문의 손잡이를 왈칵 돌렸다.

황 노인의 앙상한 등짝이 크게 들어왔다. 욕창이 더 심해졌는지 드문드문 구멍이 생긴 등이 썩어가고 있었다. 욕창에 약을 발라주던 황 노인의 며느리가 도끼눈으로 여자를 노려보았다.

여자의 눈길이 며느리의 눈빛을 피해 땅바닥으로 떨어졌다. 황망해진 여자는 주섬주섬 자신의 주머니에 손을 넣었다. 여자는 긴장된 손으로 빨간약을 연신 만지작거렸다.

손아귀에서 힘은 풀리고, 빨간약은 자꾸 손가락 사이로 미끄러져 빠져나갔다.

난생처음

아저씨는 돌아오는 생일날 죽어요.

뭐라고?… 그럼 앞으로 살날이… 석 달하고… 음… 일주일 남았다는 거냐?

아이가 배시시 웃었다.

빌어먹을!

죽는 날짜만 맞추는 아이의 말이었다. 남자는 그 말을 무시할 수 없었다. 엊그저께만 해도 뒷집 장 씨 노인이 죽었다. 물론 그 아이가 말한 그 날짜 그대로였다. 오늘내일 하던 장 씨 노인이 죽은 것은 그렇다 치더라도, 동네 반장을 하던 철호가 죽은 것은 충격이었다. 새파랗게 젊었고, 족구 경기를 할 때마다 붙박이 스트라이커로 활약할 만큼 건강 체질이었다. 철호는 그 아이의 말을 들은 후 두 달 만에 유명을 달리했다. 그 당시 철호는 아이의 예언을 듣고 당연히 코웃음을 쳤다. 하지만 여자 친구와 오토바이를 타고 가다 사고를 당한 후에는 동네 사람 그 누구도 코든, 입이든, 눈이든 더는 웃음을 흘리지 못했다.

달빛 마을 사람들의 죽는 날짜가 보이는 그 아이는 엄마와 함께 일 년 전에 남자의 마을로 이사 왔다. 죽는 날짜를 알게 된 마을 사람들은 그것이 행운인지 불행인지 판단하기 어려웠다. 애써 외면하고 덮어두었던 '언젠가는 죽는다'는 실체가 수면 위로 고개를 내밀고 두리번거린다는 사실이 영 불쾌할 뿐이다.

죽음은 불현듯 터져 나오는 재채기 같은 것이었다. 철호가 상상 밖의 사고로 죽은 후, 마을 사람들은 아이의 말에 귀를 기울이지 않을 수 없게 됐다. 되도록 얼굴을 마주치지 않으려고 얼굴을 돌리면서도, 귀는 그 아이의 세 치 혀를 향해 나팔만 하게 열렸다.

아이가 어떻게 그런 능력을 가지게 되었는지는 알 수 없었다. 설혹 안다 해도 그것은 독화살을 맞은 사람이 독의 성분이나 화살이 날아온 방향을 따지는 것과 다를 바 없었다. 중요한 것은 남자가 구 십여 일 후에 죽는다는 사실이다. 물론 이번에도 그 아이의 말이 맞는다는 가정 하에….

남자는 가슴이 심하게 떨렸다. 그 녀석은 가던 길이나 마저 갈 것이지 골목에 숨어 몰래 담배를 피우고 있던 사람에게 가만가만 다가와, 구태여 죽을 때를 차분하게 말해 주는 것은 또 뭐란 말인가. 복채 비슷한 돈도 주지 않았고… 저더러 싫은 잔소리 한마디 던진 적 없는 사람에게 왜… 미리 죽을 날짜를 알게 되면 따라오는 혜택이 있는 것도 아니지 않는가.

저승사자가 안내할 때 냉큼 따라가면 될 일을, 왜 입방정을 떨어 미리부터 이리 심장이 찢어지는 불안을 느끼게 하느냐는 말이다. 나쁜 잡놈의 새끼!

사람은 혼자 나서, 혼자 죽고, 혼자 가고, 혼자 운다.

- 무량수경

이별의 시간이 왔다. 우린 각자의 길을 간다. 나는 죽고 너는 산다.

어느 것이 더 좋은가는 신만이 안다.　　　- 소크라테스

남자는 컴퓨터 화면에 정신을 집중할 수 없었다. 모든 것이 두렵고 허무했다. 매년 건강검진도 빠지지 않았고, 불과 한 달 전에 종합건강 결과에서 거의 모든 항목에서 정상 B도 아닌 정상 A를 받았다. 그런데 살날을 꼽아야 한다니…. 도저히 용납할 수 없었지만, 용납하지 않을 수도 없었다.

사람이 죽음에 이르러 자기 자신이 아니고는, 이 세상에
서 다른 사람은 하지 못할 일이 남아 있다고 확신한다면,
그때 죽음더러 물러가라고 하라. 그러면 죽음도 물러가리
라!   – 괴테

괴테는 저렇게 말하고 실제로 피를 토하며 팔십 대에 〈파
우스트〉를 끝내 완성시켰다. 남자는 괴테처럼 자신이 아니
면 안 될 일을 헤아려 보았다.

없다.

목구멍에 가시처럼 걸려 있는 마누라와 딸을 빼놓고는 없
다. 우주적으로 존재에 대한 의문 한번 가져보지 못했고, 사
회적으로도 변변한 발언 한번 해보지 못하고 살아 온 인생
이었다.

지구상에 있으나 없으나 티도 나지 않는 삶. 일 년에 27만
명이 죽고, 하루 730여 명이 사망한다던데 자기 죽음은 태
평양의 모래 알갱이 하나가 조용히 사라지는 것에 불과했다.
하지만 누군가에게는 모래 알갱이가 아니라 태산 같은 존재
가 된다. 그것은 바로 남편의 잔소리를 너무 많이 먹어 살이
마구 찐다는 마누라와 세상 물정 모르고 아빠를 영웅으로
만 아는 고등학생 딸이었다. 순전히 남자가 보기에만 지지리

착하고 덜 떨어져 보이는 모녀지만, 두 사람이 걱정이라면 걱정이었다.

남자는 여행을 떠나 먼 어느 곳에서 소리 소문 없이 홀로 삶을 정리할까도 생각했고, 있는 돈 다 끌어다 이판사판 막장으로 살아볼까도 생각했다. 고교시절 죽어라 좋아했던 피아노 치던 교회 누나를 마지막으로 찾아볼까도 생각했고, 불교 청년회 시절 불측하게도 연정을 품었던 비구니 지도 스님을 찾아가 마지막을 의탁해 볼까 하는 생각도 불끈 솟았다. 그러나 모녀를 생각하면 그럴 수는 없는 일이었다. 산 사람은 어떻게 하더라도 다 살게 돼 있다고는 하지만 남은 사람들이 자꾸 밟히고 신경 쓰이는 것은 피할 수 없는 일이었다.

남자는 수행도 참 열심히 했고 착하게 살아왔다고 자부했다. 그러나 죽을 날짜를 안 이후로 부처님이 앉아있던 마음자리에는 술 취한 원숭이 한마리가 휘청거리고 있었다. 관념이 아닌 실제 사망 선고 앞에서는 그간 입으로 호기롭게 떠들던 죽음에 관한 말들이 얼마나 '사기'였고 '망언'이었는지 뼈저리게 절감했다.

남자는 일단 남은 사람들이 당황할 것이 염려되어 유언장부터 작성하기로 했다. 모녀에게 죽음에 대한 이야기는 자신의 생일까지 침묵할 것이다.

〈유언장〉

만약 이 글을 읽게 된다면 나는 이미 이 세상에 살아 있지 않을 것입니다. 많이 놀랐지요? 지금 두 분 마님은 울고 있습니까? 울고 싶다면 우시오. 하지만 장례식장이 떠나가도록 울지는 맙시다. 내 영혼이 차마 그대들을 놔두고 발걸음이 떨어지지 않을 테니… 내가 갈길 가도록 조금만 슬퍼하세요.

당신과 유정이 덕분에 참 행복했습니다. 누가 뭐래도 난 다시 태어나면 유정이 엄마를 꼭 다시 찾아낼 것입니다. 당신이 알고 있는 것보다 말로 다 할 수 없을 만큼 훨씬 더 사랑했습니다. 물론 우리 딸 유정이의 아들로 태어나보고도 싶습니다. 그대들과 함께만 할 수 있다면 마님들의 집을 지키는 똥개로 태어나도 좋습니다.

사랑합니다. 가슴이 뼈개지도록 우리 못난이들을 사랑합니다.

※재산 정리 – 지금 우리가 사는 20평 주택은 엄마 이름으로 하고, 밭 100평은 엄마와 의논하여 유정이가 더 공부할 수 있는 마중물로만 사용됐으면 합니다. 내가 따로 저축해

4막 겨울,

놓은 현금의 4분의 1은 내가 기부하던 ○○복지원에 기탁하고, 4분의 1은 시민단체에 조금씩 나누어서 기부해주길 부탁합니다. 그리고 남은 전체 현금의 반은 내 뜻을 잘 아는 유정이 엄마가 보람 있는 곳에 잘 사용할 것이라 믿습니다. (그리고 강○○과 박○○에게 아직 받지 못한 빚은 받는 대로 복지회관에서 어른들 모시고 중국음식으로 잔치 한번 하세요. 특히 최 씨 할머니 댁 견공 달이도 잔치에 꼭 끼워서 탕수육 많이 먹게 해주시고.)

미안해요. 가진 게 없는 게 어떤 것인지 잘 알기 때문에 이웃에게 힘을 보태고 싶을 뿐입니다.

※임종 - 내 임종을 못 지킬 확률이 높습니다. 혹시 의식을 잃고 기계에 연명할 일이 생기면 포기해주세요. 식물인간은 싫습니다. 지금까지 산 것만으로도 세상에 감지덕지하게 고맙습니다. 그냥 내 몸뚱이는 썩은 나무나 소나기 머금은 구름처럼 취급해 줄 것을 당부합니다. 그리고 수의도 필요 없습니다. 내가 평소 즐겨 입던 대로 생활 한복이면 족합니다. 유정이가 선물해준 축구공과 염주 하나 가슴에 놓아주시면 감사하겠습니다.

※내 물건 - 그간 오랫동안 모았던 못생긴 돌들과 내가 만

든 크리스마스트리 일체는 유정이에게 전합니다. 왜 그리 못생긴 돌들을 사랑했는지 유정이가 아는 날이 올 겁니다. 그리고 나중에 내 손자들이 반짝이는 트리를 할머니, 엄마와 함께 장식하는 모습을 멀리서나마 꼭 보고 싶습니다.

※남은 이야기 - 세상은 찰나도 쉬지 않고 변합니다. 아무리 좋은 일도 슬픈 일도 영원하지 않다는 사실을 잊지 마십시오. 인연은 금방 오시더니 바로 또 떠난답니다. 오고 가는 모든 세상 일은 사소합니다. 그러하니 그 어느 것도 소소하게 그냥 흐르도록 놓아두시길 당부합니다.

이 세상에 머무르는 동안 구석구석 삶의 참맛을 보고 또 누리는 일만이 당신과 유정이가 할 일입니다. 나는 지금도 꽤나 행복합니다. 돌아보면 나는 참 복이 많았던….

거기까지 쓰다가 남자의 눈이 뿌예져 유언장이 잘 보이지 않았다.

꺽, 목구멍으로 매운 불뭉치가 올라왔다.

죽을 날짜를 알고 난 후부터 하루가 길어졌다. 촌각이라도 멍하니 허투루 보낼 수 없었다. 시간을 이토록 생생하게, 꼭꼭 씹어 먹듯 체감하는 일은 처음이다.

아내와 아이를 생각하며 눈물을 흘린 것도 난생처음 있는 일이다.

별일이다.

어떤 이들은 죽은 후에야 비로소 태어난다.　　　　- 니체

그 님을 몰랐더라면

남자는 오늘도 절을 한다. 누가 시켜서도 아니고, 특별한 서원이 있어서도 아니다. 아침을 먹고 나면 자신도 모르게 방석을 편다. 그리고 예경집에 나오는 백팔대참회문을 펼쳐놓고, 한 분 한 분 부처님 명호를 부르며 무릎을 꿇고 머리를 숙인다.

보광불, 보명불….

명호를 부를 때마다 감사합니다, 고맙습니다가 입에서 절로 튀어 나간다. 모든 게 감사하고, 저절로 머리가 숙여질 뿐, 따로 무슨 바람이 없다. 하루하루 방향 없이 좌충우돌하지 않고 살고 있다는 게 천만다행이고 대견할 뿐이다.

만약 부처님 법을 알지 못했다면….

생각만 해도 아득하다. 천우신조다. 무슨 부처님이 큰 복을 주셨다거나, 남들보다 고난이 덜 한 것도 아니다. 특별히 건강을 주신 것도 아니다. 그냥 하염없이 감사할 뿐이다. 절을 하고 있노라면 유장한 강물처럼, 깊고 오래 하염없이 고개를 숙이고 계속 절만 하고 싶어진다.

남자는 헤아려본다. 무엇이 좋아서 아침마다 낡은 방석과 너덜거리는 예경집을 버릇처럼 챙기는지, 무엇이 고맙고 또 어떤 것이 자꾸 일백여덟 번 오체투지 하고 싶게 만드는지에 대해….

아무래도 불법을 알고 나서 '허상이 깨지는 기쁨'을 들 수 있겠다. 하루에도 수없이 하는 헛말과 헛짓이 불법에 의지해 자각된다. 엄밀히 말하면 내가 부처라는 믿음으로 자각의 힘이 생긴다. 나의 허물이 자각되면 그야말로 홀가분해진다. 찰나찰나 오롯하게 개운해진다.

세상은 얼마나 많은 관념과 가짜들이 주인 노릇을 하는가. 그러한 것들이 유명하다는 책을 통해 또 대중매체를 통해 의심할 새도 없이 우리에게 스민다. 세상의 단내에 푹 젖어 살고 있어도 젖었다는 의식조차 하지 못한다. 마치 엘리베이터를 타고 꼼짝없이 갇혀 가듯 그렇게 살아간다. 너무나 당연하다고 생각하는 가치를 의심하고, 돌이켜 보아야 함에도 그러하지 못한다.

스며든 허깨비는 삶의 목적이 되고, 꿈이라는 이름으로, 성공이라는 환상으로 끝없이 우리를 강박하고 헐떡이게 한다. 돈이건 권력이건 무엇인가 채워지는 것은 잠시, 자식이나 부부간의 기쁨도 그때뿐, 권태와 목마름에 시달리며 어떻게 살아야 하는지 방향을 잃고 헤매기 일쑤다. 남이 행복해 하는 것을 흉내 내어 입어보기도, 먹어보기도, 먼 길 구경도 다녀보지만, 역시 근원적인 갈증은 해갈되지 않는다. 물론 그러한 것들이 주는 사는 재미를 무시하지는 않는다. 다만 허상이라는 것을 알기에 같이 즐기고 놀더라도 본심本心을 잊지 않는다. 불법을 알기에 가능하다. 잊었다 해도 언제든지 자각하여 다시 주저앉을 수 있는 고향, 본심이 늘 함께하고 있음을 안다. 고향이 있는 자는 타향에서 눈물짓게 되더라도 쉽게 죽음을 꿈꾸지 않는다. 아무리 떠돌이로 짓밟히더라도 두 번, 세 번, 더 생의 의지를 다지게 된다. 고향에 대한 믿음이 있기 때문이다.

본심을 믿으면 너나가 평화로워지고 살맛이 난다. 불법은 모든 유정 무정에게 본심이 있음을 가르쳐주었다. 그 본심을 믿는 사람은 길 없는 길에서 방향이 생긴다. 홀로 독방에 앉아있어도 은은한 기쁨을 느낄 수 있다. 그게 고맙다.

불법과 인연이 되고 나서 '사소한 것이 사소한 것이 아니'라는 사실을 알게 되었다. 입이 찢어지게 하품을 하고, 설거

지 하고, 개그콘서트를 보고, 친구와 별일 아닌 걸로 아웅다
웅 다툴지라도 어느 것 하나 사소한 일이 아니라는 사실을
안다. 빨리 처리해야 할 일의 선후는 있을지언정 생생하게 깨
어있기만 하다면, 방바닥에 머리카락을 줍는 일이나 부처님
전 3천 배나 똑같은 무게를 지닌다.

문제는 어떤 일을 하느냐가 아니고, 밥그릇 하나 씻을 때
도 깨어있는 마음으로 하느냐를 돌아봐야 한다. 흔히 대통령
의 말 한마디나 큰 회사의 회장이 하는 일, 때로는 유명 연예
인의 일거수일투족만 중요하다고 생각하고, 자신이 하는 일
은 그야말로 보잘것없는, 벗어나고 싶은, 구질구질한 일상으
로 치부하기 쉽다. 그러나 그렇지 않다. 다만 마음이 어떤 것
에 쏠려있어 자각의 힘이 부족할 뿐이다.

불법을 알고부터 아무리 시시콜콜한 일도 다 공부거리가
된다. 풀 한 포기를 뽑더라도 진심을 다하게 되고, 사람을 보
아도 선입견을 품지 않는다. 어떤 시간, 어떤 상황에서도 참
재미있는 불법 공부를 하게 된다. 허튼 시간, 허튼 행동이란
없다. 내 안에 부처가 있고, 신성이 있다는 사실만 믿는다
면…

불법은 또 '문제가 진짜 문제가 아님'을 가르쳐 주었다. 문

제라고 생각한 것은 나의 해석이지, 실제는 그러한 상황이 그냥 있을 뿐이다. 가려진 눈으로 갖가지 분석과 의견을 덧붙여 심각한 문제 덩어리로 만들고 있다는 사실은 깨닫지 못한다. 그리고 그 일이 지금은 문제 덩어리로 보이지만, 그 문제가 언제 어떻게 나를 살려주는 힘이 될지는 아무도 모른다.

어느 누가 코앞의 세상을 알겠는가. 많은 사람이 증언한다. 암이니, 이별이니, 고난을 겪을 때는 세상이 다 끝난 것 같았지만, 시간이 흐른 후에 돌아보면 그것이 오히려 자신을 깨워준 스승이었노라고! 막상 닥쳤을 때는 말처럼 쉽게 스승이 되지 않는다. 참담하게 스스로 겪고, 부정하고, 의심하고, 절망하며 온전히 겪어내야만 한다. 그 과정을 건너 뛸 수는 없다. 암담하지만, 그 문제 덩어리는 어떤 표정도 가지고 있지 않다. 알 수 없는 상황일 뿐이다.

부처님 법을 안다고 해서 문제가 없어지거나, 쉽게 해결되지는 않는다. 아픈 비명을 지르면서도 어두운 동굴로 점점 더 들어가는 것이 아니라, 좀 더 밝은 쪽으로, 자신이 참회하지 않을 쪽으로 방향을 잡게 된다. 그것은 문제 덩어리와 거리 두기가 가능해지기 때문이다. 불법은 어떤 일에 철썩 들러붙어 집착하게 하는 것이 아니라, 좀 더 근원적인 시각에

4막 겨울,

서 바라볼 수 있게 해준다. 그런 불법의 힘에 또 감사하다.

불법의 고마움이야 천안천수로도 다 볼 수 없고 다 셀 수도 없지만, 마지막으로 하나 더 꼽아본다면 뭐든 제대로 해볼 수 있겠다는 자신감을 준다. 이것 또한 큰 배경으로 불법에 대한 믿음이 있기에 가능한 일이다. 지금까지 아무런 방향 없이 남들이 사는 것을 흉내 내고, 또 남들이 좋다는 것이 좋은 줄로만 알고, 남들이 나쁘다고 하는 것은 나쁜 줄로만 알았던 반성에서 시작한다. 대부분의 사람이 좋다고 하는 것은 의심하고, 또 별로 의미를 두지 않는 것은 유심히 볼 줄 아는 지혜가 필요하다.

'세상에 이런 일이'라는 프로그램을 보면, 괴짜 취급을 받는 사람들이 있다. 그들에게서 아름다움을 본다. 누가 뭐라던 남에게 피해를 주지 않고, 따가운 시선과 놀림 속에서도 자신의 뚝심을 잃지 않고, 자신의 목소리에 귀 기울인 사람들이기 때문이다.

남에게 비웃음 한번 받지 않은 무난한 사람과 놀림을 받더라도 자기가 옳다고 믿는 삶을 산 사람 중에 과연 누가 더 죽음 앞에서 후회하지 않을까.

유럽의 시토수도원이라는 곳은 단 한마디만 허용하게 해

주었는데 그 말이 바로 '메멘토 모리'다. '언젠가는 죽게 되리라는 것을 기억하라'는 뜻이다. 불교의 백골관白骨觀도 마찬가지다. 시체 옆에 머물면서, 몸이 썩어 백골이 되어 가는 과정을 낱낱이 지켜본다. 일체가 무상하다는 것을 깨닫게 하기 위한 관법이다.

불법을 가까이 하다 보면 자연스럽게 '죽음'에 대한 공부를 하게 된다. 이 공부가 또 많은 부분 자유를 준다. 이런 공부를 할 수 있는 불법이 또한 고맙다. 이제 어떠한 일도 생생하게 살아서, 발밑만을 살피며 한 걸음 한 걸음 걸어 나간다. 죽음을 기억하며, 단 한 번뿐인 순간임을 잊지 않는다.

남자는 경전도 염불도 잘 모르지만 오직 한 가지, 내 안을 들여다보는 것만은 게을리 하지 않았다. 모든 삼라만상이 들고 나는, 오욕칠정이 꿈틀거리는, 그 마음 하나를 살뜰히 살피는 것만큼 즐거운 공부가 또 있을까.

불법은 남자에게 참 많은 변화를 가져다주었다. 세상의 그 많은 책도 주지 못한 '변화'를…. 불법은 아무런 강요 없이 남자를 바꿔놓았다.

남자는 오늘도 설거지 하다가 접시를 깨트린다. 접시를 주우며 자신 안에서 올라오는 온갖 경계를 자각한다. 자각하며 허물을 본다.

살맛이 난다.
남 탓하지 않고, 오직 제 가린 것만 보는 게 불교라는 생각
을 한다.

당신의 백지수표

'돈만 있으면 귀신도 부린다'

　사람들의 생명줄까지 틀어쥐고 있는 저는 한국은행에서 태줄을 끊었어요. 귀신보다 무서운 존재죠. 누구는 저를 방석으로 만들어 깔고 앉아보고 죽는 게 소원이라는 분도 계시고, 저만 있으면 처녀 불알도 산다고 큰소리 뻥뻥 치시는 분도 계세요. 톱스타보다 더한 사랑을 받고, 진시황도 부럽지 않은 권세를 누리는 팔자예요. 한마디로 인간 세상에서 '신'으로 추앙받고 있죠. 신자 수는 4대 종교를 합쳐 놓은 숫자와 비교도 안 될 만큼 어마어마해요. 시키지 않아도 부모들은 아이를 낳자마자 저를 신봉하게끔 교육을 시켜 주죠. 그야말로 요람에서 무덤까지 저를 떠받들지 않으면 살아갈 수 없어요. 하지만 저 개인적인 수명은 고작 4년을 채 못 넘겨요. 오염되고 훼손되어 비명횡사하는 경우가 많으니까요. 제 친구들의 말로는 비참해요. 어떤 때는 전자레인지에 비상금으로 꼭꼭 숨어 있다가 불에 타죽기도 하고, 어떤 때는 세탁기에, 또 비에 젖기도 하고 화재가 일어나 몸이 만신창이가 되는 경우도 있으니까요. 이 세상에 몸 받고 태어난 이상, 감수해야 할 숙명이라고 생각해요.

저를 모셔갈 첫 번째 신자는 부동산 재벌 사모님이네요. 가슴이 설레는군요. 이런 분은 대개 신용카드로 모든 것을 해결하지만, 가끔 흔적을 남기지 않아야 할 일에 저를 대타로 내세우지요. 오늘같이 대낮에 젊은 애인과 모텔을 이용할 때는 제가 더더욱 필요하죠. 태어나자마자 첫 행선지가 모텔이라는 것이 좀 찜찜하지만, '돌고 도는' 것이 제 운명이라 크게 낙담하지는 않아요. 그나저나 짙은 선글라스를 쓴 사모님은 저에게 애정이 전혀 없네요. 담배꽁초 던지듯 친구들과 함께 계산대에 던져졌어요.

모텔 계산대 서랍 안에 있던 5만 원 형님과 5천 원, 1천 원 동생들이 저를 반기네요. 저를 DC0007000D라는 이름으로 소개하자, 박수를 치고 난리네요. 희귀한 일련번호라 경매에 나가면 1만 원인 제 가치보다 최소 10배 이상은 나갈 거라며 축하를 해주었어요.

동료들과 친해진 것도 잠시, 모텔 계산대를 보던 신자가 저를 꺼내 중국집 배달부의 손에 넘겨주네요. 친구들과 미처 인사할 틈도 없이 오토바이를 타고 바람을 가르며 도착한 곳은 중국집 밀실이에요. 담배 냄새가 매캐하고 피박과 고를 외치는 것을 보니, 고스톱판인가 봐요. 저희가 가장 가고 싶지 않은 곳 중에 하나예요. 한국은행에 있을 때, 폐기되어 소각되기 일보 직전의 선배가 신권인 저희에게 전설적인 무용담을 전해주었어요. 그때 선배가 말한 최악의 장소는 바로 습기 가득한 비닐 장판 밑과 노름판이었어요. 지옥이라고 했지요.

밀실 사람들이 번들거리는 충혈된 눈으로 손가락에 침을 퉤퉤 뱉어가며 제 몸에 침 칠을 하네요. 나는 벌써 고스톱 신자들의 여러 무르팍 앞을 오가고 있어요. 따면 땄다고 움켜쥐고, 잃으면 잃었다고 바닥에 패대기치네요.

저의 힘을 한번 맛본 사람들은 평생 저 없이는 못 살아요. 자식이 부모를 죽이고, 불알친구끼리 원수가 되기도 하고, 열렬하게 사랑하는 사이도 위태해지죠. 저는 이 시대의 유일무이한 경전이 된 지 오래예요. 하지만 경전의 제1조는 '돈은 돌고 돈다'예요. 붙잡는다고 해서, 외면한다고 해서 돈이 들고 나지 않아요. 눈 한 송이도 떨어질 자리에 내려앉듯 저도 정확한 자리, 있어야 할 때에 존재하죠. 황금 보기를 돌같이 하라는 최영 장군이나 물질에 휘둘리지 말라며 맑은 가난을 외친 법정 스님, 물레로 실을 자아 직접 옷을 만들어 입었던 무소유 비폭력의 간디처럼 돈을 멀리했지만, 오히려 더 큰돈들이 쫓아다니는 경우도 있어요. 저희는 행복도 불러오지만, 인간이기를 포기한 온갖 범죄와 축생 지옥을 몰고 다니는 새옹지마塞翁之馬의 법칙을 준수하지요.

어? 경찰이 들이닥치네요. 밀실에 타짜들이 판돈이 올려져 있던 담요를 허공에 집어던져요. 창문으로 도망치려는 신자, 꿩처럼 한쪽 구석에 머리를 처박는 신자, 무릎을 꿇고 기도하듯 손을 모으고 선처를 비는 신자, 참 별스러운 풍경이 펼쳐지네요. 그런데 이 와중에도 저를 뒷주머니에 몰래 쑤셔박는 사람이 있네요. 어허~ 대한민국 투캅스 경찰이시네요. 박중훈쯤 되는 나이신데 아주 능숙하시네요. 고스톱판에서 초구 두 장이면 상대의 전략을 알 수 있는데, 이 경찰 아저씨 인터셉트 전략이고 뭐고 간에 여러 장을 대범하게 꼬불치는 수를 부리네요. 어차피 노름 판돈으로 압수되면 국고로 전액 귀속되니, 박봉의 설움을 여기서 만회하는 건가요?

투캅스 아저씨가 동료들에게 소주 한잔 쏜다고 호언장담하시네요. 혼자 먹지 않고 나눔의 지혜를 발휘하십니다. 도박장에서 가로채기 당했던 여러 친구들이 막창과 소주 값으로 주머니에서 떠나가고, 다행히 저는 아직 투갑스의 주머니에서 신변보호를 받고 있어요.

억! 술 취한 투갑스 아저씨가 집 앞 골목에서 맥없이 고꾸라졌어요. 퍽치기네요. 취객을 상대로 벽돌로 머리를 치고 돈을 강탈하는 원시적인 강도질이죠. 술 취하면 경찰도 성인군자도 어쩔 수 없이 다 똑같은 먹잇감이 될 수밖에요.

야구 모자를 눌러 쓴 강도가 작은 사찰 아래 어느 허름한 집으로 들어가네요. 방바닥에 깔린 얇은 담요 밑으로 손을 집어넣어 더듬어 보니 바닥이 얼음장같이 찬 냉골이에요. 강도는 비닐 장판을 열고, 저를 장판 아래에 눕히네요. 아이고 곰팡내야~ 드디어 나머지 지옥까지 맛보게 되네요. 이미 오래전에 들어와 시멘트 바닥에 눌어붙어 있던 친구들은 누런 얼굴로 비명횡사 직전이에요. 쪽 창문으로 바깥을 내다보던 강도가 멀리서 어기적거리며 다가오는 노파를 발견하고, 쏜살같이 바깥으로 도망가 버렸어요.

시간이 얼마나 흘렀는지 몰라요. 숨을 놓기 일보 직전에 노파의 굽은 손이 저를 꺼내 입김으로 후후 불고 곰팡이를 툭툭 털어냈어요. 노파는 집 앞 구멍가게에서 저를 5천 원 권 두 장으로 바꾸네요. 이런 일은 또 처음이에요. 5천 원 두 장

4막 겨울,

은 저의 분신이나 다름없지요. 저는 오천 원권 EB1080108K 번과 AK0505050H번의 모델이신 율곡 선생 두 분에게 말했어요. 두 동생의 삶을 꼭 전해주라고 말이에요. 오죽헌 앞에 율곡 선생님들은 바람결에 소식을 전하겠다며 빙긋이 웃었어요.

노파는 5천 원 동생을 쥐고, 절 법당으로 들어갔어요. 부처님 무릎 아래에 있는 불전함에 동생을 집어넣고, 절을 하네요. 불전함 안에는 그야말로 산전수전 다 겪은 형, 동생들이 와글와글 떠드느라 정신이 없네요. 다들 부처님 앞에 시주금이 된지라 어깨가 으쓱해져 있어요. 동료들의 몸에서는 주인들의 냄새가 났어요. 비린내가 진동하기도 하고, 엄마 젖 냄새가 물씬 풍기기도 하고, 폐지 고물 냄새도 나고, 트럭 행상의 휘발유 냄새에다 병원 포르말린 냄새까지…. 참 눈물 나는 사연들이 묻어있는 시주금들이네요.

노파는 머리가 마룻바닥에 닿도록 절을 하며 연신 입으로 중얼거려요.

"지발 우리 동필이가 치킨 좀 많이 팔게 해주씨오~ 관세음보살… 관세음보살…."

아마 야구 모자를 눌러 쓴 아들 이름이 동필이인가 봐요. 긴 시간 기도를 끝낸 할머니가 삐걱거리는 관절염 다리를 질

질 끌고 법당 앞 층계를 내려올 때, 불전함도 공양주 보살에 의해 주지 스님 방으로 옮겨지네요.

집에 도착한 할머니가 나머지 5천 원 동생을 손녀딸 손에 쥐어 주었어요. 치킨 집을 하는 아버지를 늘 기다리는 손녀딸이에요. 손녀는 기뻐서 입이 함지박만 하게 벌어졌어요.

어라? 주지 스님 방에 선글라스를 쓴 사모님이 앉아있네요. 제가 첫 인연을 맺었던 부동산 재벌 사모님이에요. 알고 보니 스님이 사찰 땅을 확장하며 잔금을 치르는 날이네요. 저와 동료들은 금액대로 정리되어 사모님 손에 넘겨졌어요. 스님이 사모님에게 말씀하시네요. 돈이 모자라 신도들의 적은 돈까지 딱딱 긁어서 주게 되었노라고요. 사모님이 자신도 부처님에게 복 짓는 마음으로 싸게 땅을 넘기시는 것이라며 생색을 내네요. 제 사연 많은 동료들은 모두 사모님의 핸드백 속으로 쏟아져 들어갔어요.

노파의 손녀딸이 구멍가게에서 5천 원으로 150g짜리 참치 3캔을 샀어요. 손녀의 얼굴에서는 미소가 떠나지 않네요. 손녀가 참치 캔에 기름을 쏘옥, 다 빼더니 집 뒤 곁으로 통통통 뛰어가요. 깨진 플라스틱 그릇에 참치 두 캔을 쏟아 넣고는 집 모퉁이에 숨어서 고개만 살짝 내밀어 그릇 쪽을 살

피네요.

저 멀리서 길고양이 두 마리가 갓 태어난 듯한 새끼와 조심스럽게 다가왔어요. 새끼가 참치 그릇에 코를 박고 쩝쩝거려요. 손녀는 나머지 참치 한 캔을 손으로 날름날름 집어먹으며 길고양이들의 모습을 지켜보았어요. 손녀의 얼굴에 환하게 피어오른 건 오천만 원짜리 황금 미소였어요.

잠시 후, 위폐 확인 여부만 끝나면 제 가슴에 큰 구멍이 숭숭 뚫리고 폐기 처분돼요. 저 DC0007000D의 생이 마감되지요. 제 마지막 유언은 비록 1만 원의 삶이었지만, 사람에 따라 돈의 가치가 달라지는 백지수표의 삶이었다는 말을….

으헉! 가슴이… 가슴이… 가슴에~~.

역경을 만나러 갑니다

　여자는 남편만 없다면 정말 보란 듯이 잘살 줄만 알았다. 삶이 힘들다고 한탄할 때, 그 원인을 제공하는 것은 대부분 남편이었기 때문이었다. 어떤 드라마, 어떤 다큐멘터리도 여자의 고통만큼은 아닌 것처럼 보였다. 특히 여자의 여린 성격과 약한 몸 때문에 괴로움은 더 컸다.

　여자는 미혼 시절에 자신을 하늘처럼 여기는 남자들도 많았다. 그런데 하필 왜 지금의 남편을 선택하게 되었는지 알다가도 모를 일이다.

　이제 딸 둘이 시집갈 나이가 되어서인지 젊은 남자들이 허투루 보이지 않는다. 여자는 자신의 결혼생활을 돌아보았다. 남편의 무엇이 좋았을까? 어떤 점이 다른 남자들을 제치고 지금의 남편을 선택한 이유가 되었을까?

　곰곰이 생각해보면 자신과 같은 부류였기 때문이 아니었을까 싶었다. 흠 하나 없이 TV 공익광고에나 나옴 직한 규격적인 인생이 아니라, 왠지 허술하고 손길이 필요한, 이가 빠진 인생.

집에서 막내로 태어난 여자는 고생이란 것을 모르고 자랐다. 고집 센 아버지였지만 모든 것을 앞장서서 다 해결해주었고 귀여움만 받으면 되는 처녀 시절이었다. 아버지가 싫었던 한 가지는 바깥에서는 대인배라는 칭찬은 다 들으시면서 엄마에게는 형편없는 잔소리꾼에 쫌생원이었다는 사실이다. 어떻게 저렇게 사람이 다를 수 있을까 싶었다.

남자는 여자와 달리 대범하고 신의가 있는 부류인 줄로만 알았다. 그러나 착각이었다.

아버지에 대해 실망은 했지만 세상 남자들에 대한 기대까지 모두 놓지는 않았다. 그래도 어딘가 그 실망을 채워줄 남자가 있을 것이라는 기대는 가지고 살았다. 하지만 그것은 무모한 욕심이었을까?

여자는 결혼한 지 일주일도 지나지 않아 어떤 불길한 예감에 시달렸었다. 남편의 밥그릇에 밥을 담다 말고 갑자기 가슴이 쿵 내려앉는 것이었다. 지금도 선명히 기억한다. 무언가 크게 잘못되어가고 있다는 조바심이 들었고, 한동안 잠도 오지 않았었다.

남편과 살아보니 아버지와 똑 닮은 남편을 만났다는 사실을 깨닫게 된 것이다. 그것도 싫어하던 아버지의 모습만 골라 골라서 판박이처럼 닮았다. 왜 결혼 전에 이 사실이 냉정하게 보이지 않았을까?

　남편은 아버지처럼 술을 무지하게 좋아했다. 결혼하고 나서 정답게 한 방에 나란히 누워 본 날이 손에 꼽을 지경이었다. 늘 거실에서 쓰러져 자거나, 주사 때문에 여자가 아이들 방으로 피신하기가 바빴다. 제때에 얼굴을 마주 보고 밥을 먹어 본 것도 아득했다. 잠도 따로따로, 밥도 각자 알아서⋯. 게다가 결혼한 지 일 년도 되지 않아 남편은 백수가 되었다. 그런데도 무엇이 바쁘다는 것인지 집안일은 문자로 이야기하는 경우가 더 많았고, 아이들 문제도 온전히 다 여자 몫이었다.

　남들의 일상적인 행복이 여자에게는 먼 별나라 이야기였다. 외식이나 여행은 언감생심이었다. 게다가 남편은 나이가 들면서 주먹을 쓰기 시작했다. 술에 취했다는 변명이 따라붙었지만 듣기 싫은 소리가 한마디라도 나오면 여지없이 주먹과 발길이 올라왔다. 어떤 조언도 들으려 하지 않았다.

　얼마 전에는 근 5년을 속여 온 여자 문제까지 알게 되었다. '밉다 밉다 하면 떡 사 처먹고 계집질한다'라는 말처럼 꼭 그 짝이었다. 할 수만 있다면 어떻게 그렇게 살 수 있는지 그

속을 한 번 들어가 보고 싶다.

 남편 때문에 술과 폭력으로 파출소에 출근 도장을 찍다시피 다녔다. 그것이 끝이 아니었다. 남편은 삼 년 전 술 때문에 대장암 선고를 받았다. 그럼에도 술과 담배는 꾸준히 즐겼다. 암 수술을 받고 퇴원한 다음 날부터 술을 마시기 시작했다. 과연 삶과 죽음을 초월한 대인배다운 풍모였다.

 살면서 이혼 소리도 열 번은 나온 것 같다. 여자에게서 서너 번, 남자에게서 대여섯 번이었다. 적반하장이었다. 도대체 남편은 여자에게 무슨 불만으로 이혼하자는지 알 도리가 없었다. 하늘을 우러러 여자는 남에게 물 한 방울 튀기지 않고 산 인생이었다. 여자에게 남편은 말이 통하지 않는 콘크리트 절벽이었다.

 여자에게는 남편 아닌 남편이 또 한 사람 더 있었다. 바로 사십 년 지기 친구 복자였다. 복자는 고등학교 때부터 단짝이었다. 토라지기 좋아하고, 질투도 많았으며, 힘든 일이 있으면 엄살이 심해 여자를 무척 힘들게 했다. 그 관계가 사십 년을 이어오고 있었다. 복자에게 전화가 오면 울며불며 두세 시간 동안 하소연은 기본이고, 남편하고 싸운 날이면 친정집보다 여자의 집에서 삼사일은 당연한 듯 자고 갔다. 여자의 남편도 오랜 세월을 보아온 복자에게만큼은 관대해서 복자의

편을 들어주고는 했다.

　남편과 단짝 친구. 이 두 사람은 마치 여자가 관세음보살 내지는 투명인간이나 되는 것처럼 행동했다. 자기들은 모든 감정과 행동을 내키는 대로 표현하면서 만약 여자가 화를 내거나 조금이라도 싫어하는 기색을 보이면 그야말로 난리 아닌 난리를 쳤다. 그래서는 안 될 대역 죄인으로 몰아갔다.

　여자도 처음에는 바보 같은 자신이 한심한 생각도 들었다. 자신은 왜 모든 것을 감싸주고, 들어주어야만 하는 배역을 기꺼이 맡고 있는지…. 혹 깊은 속에서는 그들에게 배척당하지 않을까 하는 두려움? 천성적으로 다투기를 싫어하는 식물성 인간? 목소리가 크면 응당 책임도 커지지만, 배경으로 있으면 책임질 일도 없는 자기 방어적 성격? 어떤 각본가에 의해 자신의 배역이 정해지고 난 뒤, 어느 한마디 애드리브도 할 수 없이 견고하게 짜인 팔자에 갇혀버린 느낌이었다.

　번민 속에서도 시간은 흘렀다.

　몇 개월 전부터 남편의 상태가 급속히 나빠져 이제는 손찌검도 하지 못하는 상황이다. 친구 복자 또한 이혼하고 지방으로 이사해서 얼굴 보기가 힘들어졌다.

이제 두 사람에게서 헤어난 것은 분명했다. 그런데 어느 날 문득 여자에게 칼날처럼 스치는 생각이 있었다. 여자 자신의 삶도 함께 성장을 멈추어 버린 것은 아닐까하는 서운함. 후련하기는 하되 개운하지는 않는 심정이 그림자처럼 꼬리를 물었다.

두 사람만 곁에서 멀어지면 정말 행복할 줄 알았다. 그런데 곰곰이 생각해보면 과연 모든 문제가 그 두 사람에게만 있었을까? 자기 하고 싶은 대로 다 하고 살았던 남편은 왜 이혼을 요구했을까? 다른 여자 때문은 아니었다. 그렇다면 도대체 무엇이 그리도 괴로웠을까? '남의 눈에 티는 잘 보여도 내 눈의 대들보는 못 보고 산' 것은 아닐까? 그 사람들이 여자에게 무엇인가 깨달음을 주기 위해 자신을 힘들게 했던 것은 아닐까?

그런 의심을 자기본위가 아니라 마음 깊은 곳에서 진심으로 하고 보니 삶이 다르게 보였다. 아주 크게 마음을 먹을 것도 없이 아주 조금, 방향을 틀어서 생각했더니 많은 것이 다른 얼굴을 하고 다가왔다.

그 두 사람은 약한 여자를 강하게 단련시켰다. 수없이 올라오는 화를 눌러 참을 수밖에 없게 했고, 중생의 발버둥을 지켜보아야 하는 관세음보살이 되게 하기도 했다. 때로는 반면교사가 되어 인생의 가이드라인을 가르쳐 주었다.

그들의 업을 똑같은 업으로써 대응할 수 없었다. 끝없는 인내와 사랑 이외에는 그들을 감당할 수가 없었다. 그렇지 않으면 세상은 똑똑한 짓이라고 가르치지만, 가장 손쉬운 하수의 방법인 서로 부딪쳐 부서지는 길만이 남는다.

신은 일부러 그들을 여자의 가장 가까운 곳에 두게 한 것은 아닌가 싶었다. 각자 중생으로서 짊어지고 있던 지긋지긋한 숙제를 한번 풀어보라고….

그러한 회심은 두 사람 때문에 여전히 힘들어도 대응 방식에 변화가 오게 했다. 거리 두기가 가능해졌다.

거리두기.
휩쓸리지 않고 놓아두고 바라보기.

한 편의 연극을 보듯 그들은 그들의 배역 연기를 충실히 하고 있고, 여자는 여자대로의 배역을 충실히 연기하고 있을 뿐이었다. 실제로 내 마음대로 내가 원하는 대로 움직여지는 사람에게서는 성숙보다는 오만이 키워졌다. 늘 역경을 주는

사람만이 나를 다시 한 번 돌아보게 했다. 말 한마디, 행동 하나가 조심스러웠고, 겸손해진다. 그들 앞에서는 늘 조고각하照顧脚下하게 된다.

어쩌자고 세상은 순경보다는 역경에서 한층 더 성숙해지는 것일까? 고난 속에서 큰다는 말을 못이 박히게 많이 들었지만, 그 말은 부정할 수 없는 진실이었다. 고난의 강도는 사람마다 다르다. 하지만 궁극적인 것은 고난에 함몰돼서 허우적대려는 관성을 '자각'하는 힘을 키워야 한다는 것이다.

역경을 좋지도 나쁘지도 않은 하나의 '사실'로만 받아들이고, 역경이라고 분별하면서 따라오는 두 번째 화살을 끊임없이 자각하는 일만이 살 길이다.

여자는 이제 분명히 말할 수 있다. 남편도 복자도 모두 여자를 사랑해서 나타난 인연이고, 여자 또한 그들에게 어떤 가르침을 주기 위한 인연이었을 것이라고….

우리는 서로가 서로에게 큰 스승으로 보일 수도 있고, 마구니로 보일 수도 있을 것이라고…. 그 눈은 온전히 자신의 몫이라는 사실을 여자는 알게 되었다. 이런 깨달음마저도 그 두 사람의 힘이었을 것이라는 것도 분명하다.

남편과 함께할 시간이 얼마 남지 않았다.
더 늦기 전에 지금 역경을 만나러 갑니다.

아버지는 도둑이다

　서점의 종교 코너 판매대 앞이다. 한 노인이 그 앞에 쪼그리고 앉아 있다. 노인은 책을 읽는 중이다. 책에 몰입된 노인은 행복한 표정이다. 한쪽에 넓은 독서 책상이 있는데도 노인은 한사코 책이 진열된 매대 근처에서 떠나질 않았다.

　날이 어두워지고, 뱃속에서 시장기를 알리는 소리가 옆사람에게 들릴 정도가 되자, 노인은 주위를 빠르게 살핀다. 우뚝 솟은 기둥 뒤를 지나쳐 서점 출구 쪽으로 발걸음을 옮겼다.

　노인이 서점에서 나오자, 도시의 날카로운 소음이 귀를 찔렀다. 노인은 인상을 찌푸렸다. 정신을 차리려는 듯 노인은 돋보기안경을 벗고, 머리를 좌우로 흔들었다.

　빌딩 숲 사이로 노을이 울적한 빛을 뿜어냈다. 노인은 지하철로 향했다. 세 번을 갈아타야 하는 노선이었지만 무임승차라 교통비 부담은 없다.

　지하철에서 내려 마을 버스비를 아끼기 위해 언덕길을 오른다. 불 꺼진 월세방이 보이는 골목에 서면 걸음을 멈춘다. 아무도 기다리지 않는 컴컴한 방에 스위치를 올려야 한다.

싫다.

적막이 두렵다. 혼자 말하고 혼자 대답하느라 중얼거리는 자신이 밉살스럽다. 담배 한 개비를 폐 속 깊숙이 빨아들이고 나서야 대문을 연다.

노인이 집 대문을 들어서자 주인집 발바리가 정면으로 눈을 마주쳐 주었다. 할아버지라고 부르는 말에 더는 저항을 느끼지 않게 된 이후로, 노인의 검은 눈동자를 3초 이상 바라봐주는 다른 눈동자를 만나지 못했다. 어쩌면 노인이 먼저 다른 사람의 눈동자를 피해, 고개를 돌려버렸는지도 모른다.

방안에 들어선 노인은 형광등 스위치를 켰다. 그리고는 왼손으로 회색 반코트를 잡고 활짝 펼쳤다. 그제야 노인의 얼굴에 화색이 돌았다. 반코트 옆구리 아래쪽으로 아이들 신발 주머니만한 천이 코트 옆면에 서툴게 박음질 되어 있다. 천 주머니는 불룩했다. 노인이 익숙한 몸짓으로 옆구리를 최대한 비틀어 오른손으로 천 주머니에 손을 집어넣었다. 천 주머니 속에서 노인의 손에 들려 나온 것은 책이었다.

책 도둑.

노인은 손가락으로 인쇄된 새 책의 제목 위를 따라가 본다. 손가락으로 따라 써본 글자는 〈달라이라마 자서전〉이었다. 자신보다 다섯 살이나 많은 이 달라이라마라는 노인네는 언제나 웃고 있었다. 한편으로 부럽고, 다른 한편으로는 질투가 났다. 자신보다 인물도 못했고, 대학도 안 나온 것 같은 늙은이가 어떻게 이렇게 유명해질 수 있었을까. 스님이라면 무슨 신통력이 있길래 세계에서 제일 유명한 스님이 되었을까. 그것이 궁금했다. 그 궁금증 때문에 서점의 종교 코너를 기웃거리게 됐다. 이전에는 주식으로 쪽박을 찬 울분 때문에 경제경영 서가에 주로 머물렀었다.

노인은 밥통에서 밥을 펐다. 한번 밥을 할 때마다 이틀 치를 한꺼번에 해놓는다. 가능하다면 사흘 치를 한꺼번에 해놓고 싶지만 밥통이 너무 작았다. 누렇게 색깔이 변한 밥을 입에 밀어 넣으면서도 방금 도둑질해온 책에서 눈을 떼지 않았다.

노인은 그런 자신을 보면 실소가 터졌다. 젊을 때는 책 한 권도 눈에 들어오지 않더니 어쩌자고 백발이 된 지금에서야 모든 책이 자신의 이야기나 되는 양 쏙쏙 눈에 들어오는지…. 힘 있고 미래가 있었을 때 이토록 책을 가까이했더라면 최소한 지금의 팔자는 면했을 것이다.

　노인의 작은 방에는 책이 가득 쌓여 있었다. 책은 두께에
따라 분류됐다. 두꺼운 책과 얇은 책. 두꺼운 책은 주로 베개
대신 사용했고, 얇은 책은 냄비 받침으로 안성맞춤이었다.
　매일 밤, 새로 훔쳐온 두꺼운 책을 베고 자면 불면증에 덜
시달렸고, 밤사이 책 속의 글자들이 스멀스멀 자신의 머릿속
으로 기어들어 오는 것 같았다. 날마다 유식한 사람이 되어
가고 있는 중이다.
　눈에 띄게 두꺼운 책이 수명을 다하면 앞뒤 표지만 남겨두
고 책 안쪽을 끌로 파낸다. 속이 빈 책은 서점에서 또 다른
책을 모셔올 때 요긴하게 쓰인다. 파내어버린 공간만큼의 크
기에 맞는 책을 두꺼운 책 안에 쏙 집어넣을 수 있기 때문이
다. 마치 암탉이 알을 품듯 새끼 책을 품고 나오면 그 누구도
알아채지 못한다. 반코트에 만들어 놓은 천 주머니가 캥거루
어미의 아기집 역할을 해주는 것과 같은 방법이었다.
　노인은 며칠에 한 번씩은 '책 새끼'를 품어온다. 특히 성경
은 성물이라는 인식 때문에 도난방지라벨을 붙이지 않아, 라
벨을 제거하는 수고를 들이지 않아서 좋다. 농사꾼이나 어
부, 떠돌이들과 함께했던 예수님은 책 도둑 노인에게까지 고

마운 존재였다.

성경책이 계속 쌓이자 예수님께 미안한 마음이 들어 노인은 보답하는 심정으로 모셔온 성경을 띄엄띄엄 읽어서 두 번을 완독했다. 사두개인과 바리새인을 대하는 예수님에게 크게 공감했다.

노인은 무슨 일이든 뒤끝이 좋아야 하며 성실해야 한다는 신조를 지니고 살아왔다. 젊은 서점 직원들이 늙은 책 도둑인 자신을 적발하면 무척 난처해질 것이다. 그들에게 폐를 끼칠 수는 없는 일이다. 그래서 더욱 책을 모셔오는 일은 치밀하고 신중해야 했다. CCTV를 피하기 위해 우뚝 솟은 기둥을 이용했다. 기둥 뒤는 사각지대다. 기둥 뒤로 걸어가는 몇 걸음만큼의 짧은 순간에 작업을 깔끔하게 마무리해야 한다.

노인은 서점에서 책을 모셔오는 시간도 엄격히 지킨다. 도시의 직장인들이 몰리는 점심시간, 학생들과 직장인이 퇴근하는 오후 5~7시, 서점이 혼잡해지는 주말 시간을 이용한다. 그리고 일 년 중에서도 학생들의 방학 기간인 7, 8월과 12, 1월. 새 학기가 시작되는 3월과 9월은 무척 바빠진다. 책 식구들이 노인이 사는 좁은 방에 급격히 늘어나는 기간이다. 책 식구들이 한 이불 속에서 고개를 내밀고 서로 봐달라고 아우성치는 것 같아서, 유난히 기분이 좋아지는 시기다.

4막 겨울,

읽고, 베고, 깔고의 용도가 완전히 폐기된 책들은 노인 집 앞을 지나는 폐지 할마씨에게 적선한다. 덜거덕거리는 유모차를 끌고 폐지를 모으는 할마씨는 노인 집 앞을 지날 때면 노인의 방 창문을 어김없이 힐끔 쳐다본다.

할마씨가 끄는 낡은 유모차는 얼마간의 책과 박스 열댓 장이면 용량이 차고 넘친다. 노인은 그 할마씨에게만 책을 준다. 노인은 할마씨를 불러 유모차를 대문 앞에 주차시키게 하고, 꼭 이삼십 권의 책만 실어준다. 유모차는 쉽게 만차가 되어 미어터지고, 그것을 오지게 바라보는 할마씨의 함박웃음을 보는 게 별스러운 재미다. 노인은 아무 말 없이 할마씨의 웃음만 슬쩍슬쩍 훔쳐본다.

할마씨는 노인을 고향의 군수님 바라보듯 한다. 지치지도 않고 날마다 책을 어마어마하게 읽는데다가, 또 얼마나 돈이 많으면 저리 두꺼운 책을 척척 사서 볼까 싶었다. 사는 건 허름해도 저렇게 비싼 새 책을 날마다 사 볼 정도면 남부럽지 않은 알부자임에 틀림없다. 게다가 말은 못 나누어봤지만 분명 유식한 척척박사 노인임을 의심치 않는다. 신문 기사에나 나올법한 존경스러운 노인네다.

할마씨는 폐지 판돈 일부를 따로 떼어내 초하루가 되면

1kg 주머니 공양미를 빼놓지 않고 올린다.

할마씨는 절의 주지 스님보다, 할마씨도 잘 알고 있는 그 유명한 달라이라마라는 노인네 스님보다, 책을 미어터지게 실어주는 책 박사 노인이 훨씬 더 높고, 고상해 보인다.

노인은 누가 보는 것도 아닌데도 낡은 유모차를 끌고 가는 할마씨의 뒷모습을 정면으로 보지 못한다. 반쯤 옆으로 돌아서서 힐끗 바라본다.

노인은 자신의 방으로 들어와 휑하니 비어버린, 책 식구가 나간 자리를 섭섭하게 바라본다. 어서 빨리 새 식구를 맞아 들여야겠다는 계획을 세우며 다시 끌을 잡는다.

새롭게 파내야 할 두꺼운 책의 속을 파내며 소크라테스의 말을 떠올린다.

'남의 책을 많이 읽어라. 남이 고생하여 얻은 지식을 아주 쉽게 내 것으로 만들 수 있고, 그것으로 자기 발전을 이룰 수 있다.'

소크라테스의 말씀은 노인에게 힘을 주었고, 첫 도둑질을 결심하게 해준 계기였다.

4막 겨울/

다음날, 노인은 주인집 발바리의 검은 눈동자를 정면으로 바라보며 이야기를 건넨다.

"제발 밥 잘 먹고… 아프지만 말아라."

세상에서 유일하게 눈동자를 노인과 정확히 맞춰주는 발바리가 쫑긋 쫑긋 고개를 움직이며 화답한다.

노인은 돋보기안경을 잘 챙겼는지 다시 한 번 확인하고 대문을 연다. 소음이 쏟아지는 도시를 향해 발걸음을 내디딘다. 군수 보듯 하는 할마씨를 위해, 또 자신의 무궁한 발전을 위해, 오늘도 캥거루 자루를 달고 두꺼운 책을 옆구리에 끼고, 지하철을 탄다.

오늘 새롭게 태어났을 신간이라는 이름의 책 새끼들을 품으러….

죽기 전에 알아야 할 맛

성은 석 씨에 이름은 불교 초보인 석불초 씨는 어젯밤 꿈을 꾸었습니다. 며칠 전 돌아가신 아버지가 나타난 것입니다.

"내가 이대로는 못 가겠다!"

꿈이었지만 불초 씨는 너무 반갑고 황송했습니다. 눈물이 펑펑 쏟아졌습니다. 세상에 호상은 없다는 말이 맞았습니다. 아버지가 돌아가신 후, 왜 그렇게 못 해 드리고 못나게 행동한 짓만 생각이 나던지 내내 가슴이 미어졌습니다. 그런데 아버지가 꿈에서라도 다시 찾아주시니 얼마나 감사한지 모릅니다.

불초 씨는 불초소생이라 늘 아버지에게 못나고 부끄러운 자식이라 생각하며 살았습니다. 불초 소생不肖小生이란, 보잘것없는 자식이 못나고 모자라서 감히 부모님을 닮지 못했다는 뜻으로 쓰입니다. 그런 의미에서 불교 초보 석불초 씨의 이름이 불초일지도 모릅니다.

불초 씨에게 아버지는 부처님이었습니다. 오래전에 어머니를 여의고, 아버지 혼자 땅을 일구시며 사셨지만 언제나 당당한 아버지였습니다. 가까이서 모시지는 못했지만, 고통스러운 일이 생길 때마다 휴대전화 속의 농사짓는 아버지 사진을 꺼내보며 견디고는 했습니다. 그런 아버지였기에 불초 씨의 슬픔은 더욱 컸습니다.

"내가 이곳을 그냥 떠나려니 발이 안 떨어지는구나. 앞으로 칠칠일, 49일 동안 새로운 몸을 받고 다시 태어날 때까지 시간이 있으니 내 너에게 마지막 과외를 좀 해야겠다. 올해 부처님 오신 날까지는 부디 네 녀석이 털끝만큼이라도 달라져 있기를 바란다!"

"공부라면 늘 꼴찌만 하던 제가 무얼 배우겠습니까? 아버지."

"예끼 놈! 이 공부는 머리로 하는 공부가 아니야! 머리 좋은 거 다 필요 없는 공부가 이 공부니 도망칠 생각 말아라!"

아버지의 작은 황토 집에는 부처님을 모셔놓은 방이 있었습니다. 장작만한 작은 크기의 부처님을 모시고 아침이면 예불과 108배를 빼놓으시지 않았습니다. 농사일로 힘드실 만도 한데 아버지는 쉬는 시간이면 오히려 좌선하시며 휴식을 취했습니다. 불초 씨가 보기에는 도저히 이해가 되지 않았고, 어렸을 때는 너무 불교에 깊이 빠진 분이라는 생각이 들어 창피하다고 생각한 적도 있었습니다.

'내가 죽기 전에 우리 아들이 이 맛을 알아야 할 텐데'

아버지는 불초 씨를 보며 탄식하고는 했습니다. 역시 시간
은 늘 후회를 남기는 법인가 봅니다. 안타까워하던 아버지와
아들은 끝내 49일이라는 마지막 기회만을 남겨놓게 되었습
니다.

아버지는 항상 말씀하셨습니다.

'태어나서 수많은 공부를 해보았고, 여기저기 떠돌아다니
며 경험도 많이 해보았지만, 언제든 가다 보면 제자리였다.
제자리를 놔두고 다리품을 참 많이도 팔았구나.'

불초 씨에게는 아버지가 말씀하신 그 제자리라는 곳이 어
떤 자리를 말씀하신 것인지가 궁금했습니다.

"내 너에게 물려줄 유산의 첫 번째는 바로 부처님 법이다.
아비가 영영 가기 전에 앞으로 7주간 간절한 마음으로 궁금
한 것을 물어보아라."

맛있는 음식을 보면 자식이 생각나듯

불초 씨는 아버지의 신행 생활을 본받고 싶었지만, 도저히

4막 겨울,

아버지와 같은 신심이 생기질 않았습니다. 신심이 생기지 않는데 어떻게 부처님을 찬탄하고 절을 하라는 말입니까. 불교 초보 불초 씨는 아버지에게만 불초소생이 아니라 부처님에게도 불초소생이었습니다. 부족하고 못나서 닮지 못한 중생 자식 말입니다.

그러나 불초 씨는 이제 닮아보겠다는 마음을 먹었습니다. 꿈에까지 나타나 안타까워하시는 아버지를 보고 마음을 먹은 것입니다. 가장 맛있는 음식을 보면 자식부터 생각나듯 얼마나 부처님 법이 좋으면 영혼이 굶주려 있는 자식에게 다시 나타나셨겠습니까. 불초 씨는 아버지가 그토록 원하시는 부처님 법의 궁극에 다가가 보기로 했습니다.

첫째 주, 불초 씨는 간곡하게 글을 써 아버지 사진 앞에 올렸습니다.

"부처님이 도대체 왜 우리 곁에 오신 겁니까? 아버지는 도대체 왜 불교가 좋다는 겁니까?"

그날 밤, 아버지가 불초 씨에게 말씀하셨습니다.

아버지 : '네가 곧 부처다!'

부처님은 이 한마디를 하러 우리 곁에 오신 것이다.

또 다른 표현으로 '네가 곧 신의 성품이며, 거룩한 존재다. 세상에서 가장 소중한 존재다'라고 말할 수 있다. 이 사실을 알려주기 위해 부처님은 팔만사천 법문을 하신 것이다. 그러나 사람들은 그 말을 믿지 않는다. '나 같이 못 배운 사람이' '죄 많은 내가 어떻게' '희망을 주려는 소리일 뿐' 갖가지 이유를 들어 스스로 자신을 낮춘다. '네가 곧 부처'라는 말은 마치 자식에게 너의 태몽은 용꿈이니 앞으로 잘 될 거야 정도의 격려성 위안으로밖에 받아들이지 않는다는 말이다.

불교의 가장 큰 주춧돌은 '나 또한 부처님과 똑같이 깨달을 수 있는 성품을 지닌 소중한 사람'이라는 사실에 대한 믿음이다. 이것은 엄연하고 확연한, 허구가 아닌 실재다. 괜히 용기를 주려는 그럴싸한 말이 아니라는 말이다. 그 믿음을 가진 사람과 그렇지 않은 사람의 차이는 주인과 노예의 차이만큼이나 큰 것이다.

자신이 부처라는 믿음은 부처님이 이 땅에 오셔서 하신 '천상천하 유아독존' 이 첫마디에서도 증명된다. '우주에서 나보다 더 존귀한 사람은 없다'라는 선언은 백 번 천 번을 다시 들어도 혁명적인 말씀이시다.

만약 부처라는 말이 부담스럽다면 '부처'를 '마음'으로 바꾸어도 된다. 자기 생각을 믿는 것이 아니고 마음을 믿는 것.

그 마음 하나 믿는 도리를 전해주시려고 부처님은 우리 곁에 오셨다. 부처님이 전하고자 하는 말씀 중의 말씀을 귀속의 귀로 듣는다면, 자신만의 허망한 기준을 세워 '부처 자격 미달자'로 자처할 것이 아니라, 자나 깨나 '자기 마음을 믿는' 공부에 매진해야 한다.

'부처'라고 할 때의 부처는 황금빛 몸을 하고 연화대에 앉아계신 부처가 아니다. 신통력으로 모든 것을 다 해결해주신다는 의미의 부처도 아니다. 그것은 자칫 상에 집착하는 꼴이 된다. 다시 한 번 강조하겠으니 빨간색 밑줄 쫙! 긋거라. 부처님의 외형이 아니라 '나도 부처와 똑같이 깨닫는 성품을 가진 존재'라는 의미의 부처를 믿어야 한다.

부처에 대한 믿음만 단단히 한다면 깨닫지 않더라도 중생심에 물들지 않는다. 물든다 하여도 여러 번의 화살은 맞지 않는다. 이것만 하여도 부처님 법의 환희를 실감하게 된다. 그러나 우리는 가려져 있기에 번뇌와 열등감에 시달린다. 우리는 무엇에 가려져 있는지, 혹은 가려져 있다는 사실마저도 아예 자각하지 못한다. 그렇기에 자신이 부처라는 말을 더욱 받아들이기 힘들어한다.

아들아, 너에게 묻겠다.

Q) 우리는 이미 부처다. 그런데 그 부처를 가려버린 것이

있다. 과연 무엇이 우리의 눈을 덮어버린 것일까? 궁리해 보아라.

불초 씨는 다음날 회사에 가서 간밤에 전해준 아버지의 말씀을 곰곰이 되씹어 보았습니다. 좋은 말씀 같았습니다. 그러나 그 기분은 오래가지 않았습니다. 치열한 경쟁과 성과가 넘나드는 회사라는 전쟁터에서 그 말씀은 살아남기 힘들었습니다. 내가 곧 부처라는 고상한 선언은 책 속에서나 산사의 명상시간에서 통할 말이지, 현실 세계에서는 허황한 이야기나 다름없었습니다. 오늘 불초 씨가 화를 낸 것만도 수차례였고 참은 것은 셀 수 없습니다. 저녁에는 거래처 사람과 술을 마시며 라이벌 회사에 대한 술수를 꾸몄습니다. 자본의 정글에서 살아남기 위해서였습니다.

취한 몸을 끌고 들어오면서 자기 한 몸의 존재감마저 의심스러울 지경이었습니다. 매일 매일이 그날 같고 정녕 지금 살아 있는 것인지, 이미 죽어버린 영혼이 떠다니는 것은 아닌지 의심스러웠습니다. 아버지가 물어보신 자신의 눈을 가려 버린 것, 그것이 뭔지는 모르지만 살아도 산 것 같지 않고, 사방팔방 둘러봐도 세상이 캄캄해 보이는 것은 사실이었습니다.

꼴찌가 오히려 잘하는 공부

두 번째 주는 묻는 것을 포기하고 그냥 흘려보냈습니다. 아버지가 내주었던 문제도 풀지 못했습니다. 대신 '마음을 믿는다'는 의미를 수시로 떠올리며 믿음을 키워보려 애썼습니다. 불경도 보았습니다. 그러나 머리가 나쁜지 도무지 진척이 없었습니다.

셋째 주, 아버지 사진 앞에 글을 올렸습니다.

"부처는커녕 인간되기도 힘든 것 같습니다. 게다가 불교를 알려면 불경도 보아야 하는데 아시다시피 꼴찌만 하는 머리에 한문도 모릅니다. 불교는 너무 어렵습니다."

아버지가 불초 씨의 머리에 군밤을 주며 말씀하셨습니다.

아버지 : 부처님 법은 지식이 많을수록 오히려 병이 될 수 있다. 머리에 든 것이 많으면 믿음보다는 자꾸 헤아리게 되고, 남에게 한마디라도 가르치려 드니 아만이 높아질 뿐 아니라, '나'라는 유리 벽 안에서 착각도인이 될 확률이 높아진다. 차라리 꼴찌, 쪼다 소리를 들을지라도 분별없는 백지상태에서 마음에 대한 믿음을 키워나가는 것이 더 중요하다.

많이 안다거나, 학력이 높다거나, 좋은 머리라거나 하는 것은 부처님 법과는 아무 관련이 없다. 오히려 지식에 너무 밝아 스스로 지어낸 불교, 자기식대로 해석해버리는 불교가 되는 것을 경계해야 한다. 그러하니 경전 읽을 시간이 없다거나 한문을 몰라서 불법을 가까이할 수 없다는 말은 모두 변명에 불과하다. 단지 마음이라는 달이 어떤 것을 두고 이르는 말인지 전체적인 구조 속에서 조망해 보거나, '마음에 대한 믿음'을 키우기 위해서 바른 눈을 가진 스승을 찾아 법문을 듣는 것이 중요하다.

경전을 읽거나 법문을 듣는 것도 궁극적으로는 '믿음'을 키우려는 방편일 뿐이다. 바른 스승을 만나는 것이 그 무엇보다 중요하다 하겠다. 다시 말하지만 아무리 꼴찌라도 공부하는 데 아무 지장이 없는 공부가 이 공부다.

선禪의 실질적인 창시자인 육조 혜능선사는 글을 몰랐다. 한평생 홀어머니와 산속에서 살며 나무를 해다가 마을에 가져다 파는 나무꾼이었다. 어느 날, 장터에서 우연히 어느 스님이 하신 말씀을 들었다. 금강경의 한 구절이었다.

응무소주 이생기심! - 마땅히 머무는 바 없이 마음을 내어라!

불교의 '불' 자도 모르던 혜능은 이 말을 듣고 홀연히 깨달았다. 그리고 초조 달마대사로부터 시작되어 오조까지 법통이 이어져 내려온 홍인대사를 찾아갔다.

혜능은 글을 몰랐기 때문에 경전을 배울 수 없어 방앗간에서 키질을 하며 지냈다. 어느 날 홍인대사가 제자들에게 지금까지 공부한 바를 시로 적어보라 하셨다. 다른 제자들은 가장 비상한 머리를 가진 신수 스님이 인가를 받을 것으로 생각했다.

몸은 깨달음의 나무
마음은 밝은 거울의 받침대
늘 깨끗하게 털고 닦아서
먼지에 더럽히지 않도록 하리.

신수 스님의 시였다. 그 시를 들은 혜능은 자신도 시를 한 번 지어볼 테니 글로 적어 달라고 도반에게 부탁했다. 글도 모르는 까막눈이가 시를 써달라고 하자 도반이 비웃었다. 그러자 혜능은 모든 중생이 본래 불성이 있는데 차별을 둔다면, 공부하는 자로서 부끄러운 일이라고 말했다. 이에 도반은 사과하고 시를 글로 받아 적어 주었다.

깨달음에는 본디 나무라고는 없다
밝은 거울 역시 받침대가 아니다
본디부터 텅 비어 아무것도 없는데
어디에 먼지나 티끌이 있을까 보냐.

까막눈인 육조 혜능 선사가 오조 홍인대사의 의발을 물려받았음은 물론이다. 이처럼 비상한 머리보다는 글자는 모르지만, 효심으로 가득 차있던 혜능 선사의 부처 마음이 중요했다. 많이 아는 지식은 부처님 법과는 아무 상관이 없다. 하지만 너는 지금 자신의 존재 가치를 낮추고 어려운 한문 투의 글을 잘 해석하고, 선문답을 척척 알아먹어야지만 불제자의 자격이 있는 것으로 잘못 생각하고 있다. 이 대목에서 문제를 한번 풀어보아라.

Q) 불교 공부가 수학능력시험이 아니라는 것은 잘 알고 있을 것이다. 무엇을 통과하고 누구에게 보여주기 위한 공부가 아니라는 말이다. 이 공부는 소수만의 전유물이 아니라 밥숟가락만 들 줄 알면, 장터에서 때수건 파는 할머니도 할 수 있는 평등한 공부가 이것이다. 그렇다면 무엇이 좋아서 깨닫는 공부를 하려고 할까? 그리고 선문답을 잘한다고 깨달은 사람이라고 할 수 있을까? 잘 궁리해 보기를 바란다.

296   4막 겨울

불초 씨는 다음날도 역시 전쟁 같은 회사생활이었습니다. 책상 위의 관계보다 책상 밑의 관계가 더 힘들다고 했던가요. 회사 생활은 끊임없이 인간관계의 연속입니다. 사람에게 속고, 사람에게 실망하고, 사람 때문에 웃습니다. 장미꽃, 나팔꽃, 민들레꽃이 각각 다르듯이 사람들도 각각 너무 달라서 종잡을 수가 없습니다.

수레바퀴의 중심축으로 바퀴가 돌아가듯 천인천색의 사람과 세상 두두물물에 공통으로 적용될 수 있는 공식이 하나 있었으면 좋겠다고 생각했습니다. 그것을 부처님은 '일체유심조'라고 말씀하셨습니다. 마음법 하나로 이 우주를 꿰뚫는 것입니다.

불초 씨는 아버지의 말씀대로 불법을 공부하는 것은 좋으나 요즘 세상에 뭐라도 하나 건져야 보람이 있지 않을까 생각합니다. 마음법이지만 관념적인 것 말고, 무엇인가 손에 딱 잡히는 결과 말입니다.

다함이 없는 부자

넷째 주는 북한산에 올라가 사찰에서 오랜만에 108배를 하는 것으로 대신했습니다. 괜히 건강이 좋아지는 것 같아 뿌듯했습니다. 땀을 흘리고 장딴지가 뻐근해지는 것은 손에 잡히는 결과였습니다. 다섯째 주, 아버지 사진 앞에 다시 글을 올렸습니다.

"부처님 법을 공부하면 부자 됩니까? 부자가 안 되면 건강이라도 책임져 주십니까?"

아버지 : 부자 된다. 아들에게 장담할 수 있다. 설마 아비가 거짓말 하겠느냐? 다만 바른 스승을 찾아라. 부자가 되려고 이 공부를 하는 것은 아니다. 그러나 바른 스승 밑에서 바르게만 공부해 나간다면 부자가 아니 되고는 못 배기는 공부가 이 공부다.

죽이고 싶도록 미운 원수에게 할 수 있는 가장 큰 복수는 '사랑을 깨닫게 하는 것'이라고 했다. 진정 부자가 되고 싶은 사람에게 해 줄 수 있는 가장 큰 선물은 '부자가 무엇인지 깨닫게 해주는 것'이다.

이 공부를 하면 세상은 네 편이 될 것이다. 공부를 하면 할수록 많은 사람의 무명을 밝혀주는 무진등無盡燈이 되어 나누고 또 나누어도 결코 다함이 없는 부자가 될 것이다. 네가 밝혀준 연등은 다시 수천 수만의 무진등으로 태어나서 너를 밝혀 줄 것이다. 이보다 더한 부자가 어디 있겠느냐.

아들아, 이 문제도 한번 생각해 보아라.

Q) 사람들은 자신의 발밑을 살피지 아니하고, 한 덩어리로 휩쓸리기 좋아한다. 세상을 향한 욕망의 종류는 물론이고 죽을 때 반드시 후회하는 것까지도 대동소이하다. 이것은 어둡기 때문이다. 이렇게 밝고 찬란한 세상에서 가장 어두운 곳이 바로 자신의 발밑이다. 밖으로 빼앗긴 눈을 돌이켜 네 발밑을 비추어야 한다. 그렇지 않으면 길을 잃는다. 네 발밑에는 무엇이 있겠느냐?

꺼지지 않는 무진등

여섯째 주는 아버지가 다니시던 산사에 나가 정성을 다해 연등 다는 일을 함께 했습니다.

일곱째 주, 불초 씨는 아버지 사진 앞에 마지막 글을 올렸습니다.

"아버지가 말씀하신 마음이나 발밑이나 모두 내 몸에 붙어 있는 것들이었습니다. 마땅히 제 몸의 제자리에 붙어 있었습니다. 내 안에 있는데 왜 한 번도 눈길을 주지 않고, 먼 산만 바라보며 살았을까요. 그래서 이번 참에 아버지 방에 있던 부처님과 염주는 일단 제집으로 모셔왔습니다. 그리고 건강에 좋고 손에 잡히는 108배부터 꾸준히 해볼 작정입니다. 아버지가 모시던 불상 제가 가져와 모셔도 아버지가 말씀하시던 그 제자리가 맞지요?"

　아버지 : 이제 부처님도 제자리를 찾았고, 아들도 제자리를 찾으려고 이리저리 더듬어 보고 있으니, 이 아비는 훌훌 털고 가봐야겠구나. 사실 제자리를 찾느라 더듬거리다 보면 알게 된다. 제 마음만 믿는다면, 자기가 주저앉은 세상 모든 자리가 다 제자리라는 것을!
　아들에게 마지막으로 묻겠다.
　Q) 올해 부처님 오신 날, 너는 무엇이 달라지려느냐?

　부처님 오신 날입니다.
　불초 씨는 7주간의 공부를 마치고, 자신이 손수 걸어놓은 연등을 보기 위해 산사로 향했습니다. 가족들과 연등을 보고 있으니 어려서 아버지의 손을 잡고 간 사찰에서 까만 하늘로 날려 보냈던 풍등이 생각났습니다. 황금 달처럼 하늘로 두둥실 날던, 그 풍등 안에는 소원 쪽지가 매달려 있었습니다. 그 풍등의 소원이 생각나 불초 씨는 함박웃음을 지었습니다.
　"우리 아부지가 부처님보다 나를 더 좋아하게 해 주세요~"

오늘밤, 아버지가 전해 준 무진등을 날릴 때,
불초 씨도 이제는 새로운 쪽지를 한 장 써 볼 참입니다.

'어느 날, 내가 이미 부처님이었음을 알게 해주십시오'라
고….

지금은 임신 중

"꼭 아이를 가진 것만 같아…."

물만 먹어도 토해내는 아내였다. 남편은 눈빛 둘 곳을 찾지 못했다.

"어떻게 이렇게 똑같지? 원동이 임신하고 입덧이 무지 심했었잖아."

항암 치료 중인 아내는 의아해했다. 남편은 차마 견뎌보라는 말이 입에서 떨어지지 않는다. 아내가 아픈 뒤로 피눈물을 흘린다, 라는 표현이 가장 공감됐다.

지난날, 아내의 입덧은 살면서 가장 힘든 고통이었지만, 가장 잊을 수 없는 행복한 순간이었다. 아내는 아이를 임신하고, 독하게 입덧을 했다. 밥은 밥 냄새 때문에, 물은 물 냄새 때문에, 김치는 김치 냄새 때문에 그 어느 것도 쉽사리 넘길 수 없었다.

세상의 모든 음식에서는 냄새가 나는 법이다. 그러다 천만다행으로 목구멍이 쉬이 열리는 유일한 음식이 하나 있었다.

흑산 홍어였다. 가장 지독한 냄새를 풍기는 음식.

"흑산 홍어 생각만 하면 뱃속 아기가 입맛을 다시나 봐."

아내의 말에 남편은 귀가 번쩍 뜨였다. 볏짚을 깔고 항아리에서 삭힌 진짜배기 흑산 홍어를 구하기 위해, 남편은 흑산도 포구까지 직접 달려갔다. 아내는 거식증에 가까운 입덧 탓에 7kg이나 몸무게가 빠졌다. 그런 아내의 유일한 요구사항인데, 태평양인들 못 건널까!

아내는 새콤한 초장이 뚝뚝 흐르는 홍어를 한입 가득 넣고 우물거렸다. 채 세 번도 씹기 전에 코를 문기둥에 세게 부딪친 듯한 얼얼한 표정이 되었다. 급기야는 두 눈에서 눈물이 주르륵 쏟아졌다.

"맛있어?"

"…."

"코가 맵지?"

"…."

"왜 말을 못해? 여태 홍어 맛이 그런 것인 줄 몰랐어?"

"나도…알어! 안단 말이야! 쫌 많이 삭아서 그래. 근데 숨이 좀 막히네…캑캑."

"그만 먹어! 내가 다 먹어 치울 거니까!"

홍어라면 기겁을 하던 아내였다.

"안 돼! 나는 진짜 별론데 뱃속의 아기가 자꾸 먹고 싶다는 걸 어떡해!"

파도야 어쩌란 말이냐! 남편은 아내라는 여자의 말이 신기했다. 분명 입은 하나인데 엄마의 입맛? 아기의 입맛? 둘이 한 입을 쓴다? 어떻게 두 사람이 한 입으로 음식을 공유하지? 그래서 저렇게 한 입은 우거지상을 하고 꾸역꾸역 먹는 것이고, 또 다른 입은 행복에 겨워 입맛을 다시고 있다는 말인가?

"신랑, 그거 알아?"

아내는 괴기스러운 향내를 풍기는 홍어를 오독오독 씹으며 말갛게 쳐다보았다.

"나… 지그음… 무지… 무지 행복하다? 분명히 내 입인데 아가 입이 빙의되어 있지. 아~ 또 마트 카트에 넣은 100원도 악착같이 챙기는 자린고비가 흑산도까지 달려갔다 오고…."

아내의 두 눈에서는 눈물이 계속 흘렀고, 입술은 허벅진 웃음을 지었다. 저 눈물은 홍어 탓일까?

같이 살면서 한 번도 보지 못한 눈물 섞인 저 벙그러진 웃음을 또 볼 수 있을까? 남편은 아내의 기묘한 표정이 어리둥절했지만, 아내의 봄꽃 같은 웃음이 깊은 속, 어느 뿌리에서

부터 피어오른 꽃이라는 것만은 안다. 저토록 맑은, 저 귀한 웃음을 쉽게 보지는 못할 것이다.

　가가소소 산방에 창 밖은 야생화들과 제멋대로 나무들이 지천이다. 이곳은 꽃들과 나무들을 인간의 눈에 보기 좋으라고 일렬종대로 세우지 않는다. 인간의 땅과 꽃들의 땅을 일부러 나누지도 않는다. 사람들은 엉겁결에 꽃을 자주 밟았고, 제멋대로 나무들의 가지들은 산방 식구들이 요양하고 있는 창문을 눈치 없이 두드렸다. 한 번도 제멋대로 살아보지 못한 아내는 나무들이 제멋대로라서 정이 간단다.

　아내는 창 밖에 피어난 아주 작은 꽃들을 좋아했다. 너무 작아서 잡초라는 이름도 붙을 수 없는 꽃들. 여리디여린 나비 뒷날개 같은 야생초들이 바람에 흔들리는 것을 보면 탄성을 질렀다.

　"아휴~ 어쩜 이리도~ 아유~ 어떡해~ 어쩜 이리 작을 수가 있지? 아무도 봐주는 사람도 없는데, 아무도 알아주지도 않는데, 무슨 힘으로 저렇게 열심히 몸을 흔들까?"

　엄마의 입을 빌려 홍어를 좋아했던 하나밖에 없던 아이. 작은 야생초 몸집의 아이는 그렇게 사랑스럽게 봐주고 또 봐주었어도 이 세상에서 꽃을 피우지 못했다. 바람에 실린 홀

씨가 되어, 저 세상 어딘가로 날아가 버렸다.

아내는 아이가 떠나자 집안에 커튼을 드리운 채, 세상을 보려 하지 않았다. 세상과 단절하고 3년도 되지 않아, 몹쓸 병이 발병했다.

"아이를 가진 것같이 속이 울렁거려…."

항암 치료의 증상은 입덧 증상이었다. 속이 울렁거려 가벼운 스킨도 바를 수 없었고, 24시간 위액까지 토해냈으며, 변비에 시달렸다. 음식은 물조차도 먹을 수 없었다. 이제는 좋아하는 음식도 개똥처럼 메스껍게 보였고, 그럴 때는 얼음을 입에 물고 있어야 조금 진정이 되었다. 항상 심호흡을 해야 했으며 환기도 자주 시켜야 했다. 무기력할 때는 잠을 자는 수밖에 도리가 없었다.

"원동이 가졌을 때가 자꾸 생각나… 그때도 시달리고 시달리다 이렇게 시체처럼 누워만 있었는데…. 혹시… 아이를 진짜 가진 건 아닐까?"

아내는 늘 먹지도 마시지도, 냄새 맡지도 못했던 그 끔찍한 입덧 시절을 그리워했다. 입을 열면 그때가 인생에서 가장 행복했던 때였다고 읊조리던 아내였다.

입덧 같은 항암 치료 부작용에 시달리던 아내는 분명 다른 항암 환자와는 달랐다. 육체적으로 한 방울의 기름도 남지 않은 메마른 사막이 되었는데도, 분노하거나 좌절하지 않았다. 남들은 항암 치료의 후유증으로 악몽을 겪고 있었지만, 아내는 지독한 부작용이 아니라 자신은 사고 전의 아이를 가진 엄마로서 입덧을 하는 중이었다. 눈물 섞인 웃음을 지을 수 있었던 행복한 시절의 기억이 되살아났다.

아이도 남편도 온전히 내 편이고, 나의 것이었던 그때, 그 입덧의 행복한 기억이 항암 치료를 견디게 해주었다.

남편은 아내가 착각해도 좋았다. 지독한 통증만 줄여준다면…. 오히려 거짓말이라도 보태주고 싶다. 아내가 다시 한 번 속 깊은 어느 곳, 아득한 뿌리에서 올라오는 그 귀한 봄꽃 웃음을 웃을 수만 있다면….

"입덧에 제일 좋은 약이 뭔 줄 알아?"

아내가 아이를 가졌을 때의 그 표정으로 물었다.

"홍어?"

"아니…시간이 약이더라고… 그때도 당신이 그걸 구하려고 몇 날 며칠 애쓰는 모습 보면서…또 흑산도까지 갔다 오는 거 기다리면서… 당신이 내가 먹는 것을 흐뭇하게 지켜보는 그 모습을 내가 또 지켜보면서… 그렇게 시간이… 용하게도 가더라고… 그러다 보니 어느새 우리 아기가 이 세상에 나와서 울음을 터트리대?"

"……"

"이번에도… 이렇게 아픈 거… 시간이 가면… 해결되겠지?"

남편은 가슴이 덜컥 내려앉았다. 가가소소 산방에서 해결나는 일? 무슨 해결? 시간이 지나면 항암 부작용도 입덧도 한꺼번에 영원히 끝나버리는 해결? 자신의 심장을 누군가 장난처럼 무참하게 꺼내 보고 삼키려 한다.

"참 신기하더라? 입덧하다가도… 신랑만 옆에 있으면 괜찮아지대?"

"흠…. 그럼 홍어 덕분이 아니라 당신 몸도 마음도 마구 썩이고 삭혀준 홍어남편 덕이었네?"

남편은 고생만 시킨 아내를 웃겨보려고 애를 쓴다.

"홍어남편, 계속 내 옆에 있어 줄 거지? 시간이 해결해 주는 그날까지 홍어도 또 사다 줄 거고?"

아내가 앉아 있는 침상 뒤 창문으로, 노을빛이 꾸물꾸물 들어온다.

노을이 묻은 홍어 남편의 얼굴에서 눈물이 주르륵 흘렀다. 아내의 귀한 웃음을 흉내 내느라 남편의 얼굴 근육이 씰룩였다. 아내는 자신 때문에 마음껏 울지도 웃지도 못하는 남편의 얼굴에 대고 힘겨웠지만 또박또박 말을 이었다.

"뱃속 아기가 또 입맛을 다시는가봐!"
"기다려."
홍어남편은 굵은 눈물을 쑥스럽게 훔쳐 내리고는 허겁지겁 뛰어나갔다. 남편의 너른 등짝을 보던 아내의 얼굴에 귀한 웃음이 피어났다. 남편이 그토록 보고 싶어하던 웃음이었다.

아내의 웃음이 퍼져 나가자 산방山房은 노을같이 잘 삭혀진 홍어 냄새로 물들었다.

아내와 남편은 지금 임신 중이다.

함박눈처럼

하이구야, 제가 착하다고요? 어딜 봐서요? 천만의 말씀 만만의 콩떡 같은 소리셔요. 제가 제일 듣기 싫은 소리가 착하다는 말이라는 거 아세요? 태어날 때부터 엄마 뱃속에서 기름칠해 논 것마냥 순풍 빠져 나왔다고 해서 순둥이라고 불렀지요. 그때부터 시작해서 지금까지 무려 35년 동안 지겹게 들었던 소리예요. 솔직히 착하다는 게 쫌 쪼다 같고, 맹탕 같고 뭐 그런 사람에게나 쓰는 말이잖아요? 그런데 참 묘한 게 말이죠. 착하다고 하면 듣기 싫은데, 또 착하지 않게 나를 보는 사람이 있으면 못 견디게 불편해지더라고요.

잠깐만요. 괜히 열 받네요. 찬물 한 잔 마시게요.

아마 저는 착한 것은 싫은데, 착하게 살아야만 마음이 편해지나 봐요. 착할 수도 없고, 착하지 않을 수도 없어서 그런지 저를 탐색하듯 쳐다보는 사람들이 무서워요. 번들번들한 눈빛으로 쳐다보면 몸서리가 쳐져요. 사람들이 인간도 아니고, 동물도 아니고, 짐승처럼 보인다니까요. 그래서 집 밖을 안 나간 지가 벌써 5년째? 사람들은 은둔형 외톨이, 일본 말로 히키코모리라고 부르데요? 제가 어떡하다가 가족 인연도 끊고, 방에 콕 처박혀 살게 됐는지 저도 잘 모르겠어요.

잠시만요. 밖에 지금 함박눈이 오네요? 아이구 허벅지게도 오시네요. 저는 하늘도 별도 함박눈도 딱 저 창문만큼만 필요해요. 더 많으면 피곤해요. 너무 크고 많으면 제가 일일이 아는 척 해줄 수 없잖아요. 그러면 괜히 '하늘 것'들에게 미안해지더라고요. 뭐든 제가 품어 안을 수 있는 만큼, 딱, 저 창문 크기만큼만!

아무튼, 저는 서울에서 제일 좋다는 여자 상업고등학교를 졸업했어요. 스무 살부터 남들이 부러워하는 공기업에서 직장 생활을 10년 했지요. 그런데 구조 조정에 걸려 할 수 없이 사표를 냈어요. 받은 퇴직금으로 항상 꿈에 그리던 대학에 가려고 했는데요. 다시 공부하려니 엄두가 안 나더라고요. 방송통신대에 입학해 보았지만 흥이 나지 않았어요. 늘 꿈꾸던 그런 대학생활이 아니었어요. 아마 그때부터 가족이 미워지기 시작했나 봐요.

대학교에 가는 대신 직장을 선택했고, 저는 죽도록 돈 벌어서 가족이 함께 살 수 있는 집 한 칸 마련하는데 온 정신을 쏟았거든요. 그런데 어머니나 아버지나 여동생은 그 절절한 마음을 잘 모르더라고요. 아니 당연하게 생각하더군요. 그게 착하기는 싫으면서 착하게 사는 게 편한 것처럼, 가족을 위해 당연히 해야 할 일이었지만, 왠지 서럽고 외로워지는 느낌? 뭐 그런 게 밀려왔어요. 그러면서 가족마저도 낯설고, 오히려 무서운 짐승들로 보이는 거 있죠. 애증? 나찰? 같은 사람들로….

아휴~ 증말 눈 이쁘게 온다. 이럴 때는 캐럴이 흐르는 거리로 뛰쳐나가고 싶어요. 흰 눈을 펑펑 맞으면서 말이에요. 그런데 못 나가요. 두려워서요. 언젠가 한번은 외출을 시도한 적이 있었어요. 다른 사람들과 마주치면 탐·진·치 프로그램이 장착된 가련한 눈사람들로 보리라고 굳게 마음먹었었죠. 어휴~ 그런데 다른 사람의 그림자가 보이자마자 금방 다시 튀어 들어오고 말았어요. 괜한 시도에 밤새 잠도 못 자고 얼마나 후회를 했는데요. 거리에서 파는 빨간 매운 떡볶이를 되게 좋아했는데, 이제는 포기했어요.

탐·진·치 프로그램이라고 말하니까 제가 좀 똑똑해 보이시나요? 흐흐~ 바깥으로 안 나가니까 심심해지고, 그러다 보

한 번에
딱 한 걸음씩만,
세상은
그게 다야

니 제가 저하고 놀게 되데요? 제가 저에게 관심을 가지고 자꾸 집중해 들여다보니까 도무지 내가 어떻게 생겨먹은 인간인지 알 수가 없더라고요. 그런데 이것도 인연인지 이 원룸에 전에 살던 사람에게 배달되던 〈월간 설법〉이라는 불교 잡지가 눈에 띄는 거예요. 그래서 아무 데나 펼치고 힐끔힐끔 부처님 말씀을 눈동냥 해봤죠. 가슴에 흔적을 남기는 말씀들이 많더군요. 그중에서도 탐·진·치라는 표현이 좀 땡기더라고요. 또 '마음 길을 돌리라는' 말도 좀 멋있었어요. 도대체 마음의 길은 무엇이고, 또 어떻게 돌리는 것인지가 궁금했죠. 예전에는 그 잡지를 늘 뜨거운 국 냄비의 받침용으로나 썼었걸랑요? 그런데 언제부턴가 제 머리맡에 두고 잠자기 전에 한 페이지씩이라도 꼭 읽어야 마음 주름이 펴지면서 잠이 잘 오데요? 참 희한한 일이에요.

어머나! 아버지 전화네요. 5년 동안 죽어라고 전화를 거부해도 꾸준히 하시는군요. 참 질기신 분이에요. 무슨 죄책감이 좀 느껴지셔서 그럴까요? 어렸을 때는 술 먹고 마누라 패고, 자식 패고, 끝내는 자신이 자신을 패며 자학하고 그러시더니…. 참 밉기도 했지만, 당신도 발버둥 치며 산 불쌍한 중생이었던 거죠. 나름대로 먹고 살아보려고 말이에요. 그런데 머리로는 이해가 되는데 감정은 왜 그렇게 그에 대해 냉정해

4막 겨울,

지는지…. 저도 제 마음 길을 돌리는 데는 너무 서툴거든요? 어찌할 수가 없네요.

 '마음 길' 뭐 이런 단어가 눈에 들어오다 보니 선사들의 행동이 남 얘기 같지 않았어요. 선사들은 산문 밖을 27년 동안이나 안 나가기도 하고, 철조망 쳐놓고 10년 동안 방에서 꼼짝 않고 살지 않나, 어떤 선사는 10년 묵언을 하느라 혀가 굳어 버리기도 하고…. 참 대단들 하신 분들입니다. 그런데 그분들이나 은둔형 외톨이나 오십 보 백 보 아니겠어요? 산문 밖 세속이라는 게 뻔할 뻔자고, 그래서 구태여 나가서 탐·진·치에 물들 필요도 없고, 천방지축인 중생들에게 상처받을 필요도 없고, 그냥 가만히 방안에서 소요하면 되는 거 아니겠어요?

 저는 선사들의 태도가 참 마음에 들었어요. 아주 공감했고요. 그래서 저도 할 일 없으면 방에서 면벽하고 화두라는 걸 들고 선사禪師들 흉내를 내기 시작했지요. 할 만하데요? 인간의 가장 높은 정신적 경지가 화두를 잡은 상태라면, 저 또한 은둔형 외톨이로 남에게 피해 안 주고 선하게 사는 선사善士가 된 것 아니겠어요? 언젠가는 이 어두운 토굴 같은 방에서 홀연히 깨쳐, 세속으로 나가 지금까지 나를 우습게 보고, 오해했던 사람들을 깜짝 놀라게 해주고 싶어요.

　잠깐만요!
　흐이그~~ 이렇게 흐드러지게 함박눈이 새하얗게 오는 날, 무드 없이 시커먼 자장면 배달이 왔네요. 늘 그렇듯 아마 현관문 앞에 자장면과 왕단골에게만 주는 서비스 군만두를 놓고 갈 거예요. 오늘같이 이렇게 함박눈이 절창으로 오는데도 아무 데도 갈 곳이 없다는 게 너무 슬퍼요. 그래서 고량주 한 병을 더 시켰걸랑요?

　그런데 말이에요. 참선을 우연히 하게 된 것은 아니었어요. 사실 불교와의 인연은 어렸을 때부터 깊었거든요. 우리 이모 남편이 스님이었어요. 그런데 어찌나 두 분이 싸움박질만 해대시던지 대단하더군요. 아니 스님이면 아무리 숨겨둔 마누라든 공식적인 마누라든 최소한 미워하지는 말아야 하잖아요? 그런데 이건 보통 사람보다 더 속이 좁고, 못 잡아먹어 안달이더라고요. 그래서 우리 어머니가 그 동생을 보고 얼마나 눈물을 흘리고 안타까워하시던지, 글쎄 내가 다 그 이모부, 아니 그 스님이 미워지더라니까요. 그래서 괜히 대웅전 부처님까지 사기꾼처럼 보여 싫어지고요. 그러다가 교회는

　　　　　　　　　　　　　4막 겨울,

다를까 해서 다녀보았죠. 그런데 교회도 영~ 미심쩍은 게 한두 개가 아니더라고요. 근본적인 의문은 받아주지도 않고, 무조건 믿으라고만 강요하니까 자칫 왕따 되기 십상이고요. 그래도 젊디젊은 예수님이 '이스라엘 민족의 조상인 아브라함 이전에 나는 있었다'라거나 '네 안의 하느님 즉, 잉글리쉬로 God with in you~'라는 말씀은 귀담아들을 만 했어요. '부모미생전父母未生前'이나 '내 안에 부처가 있다'라는 말하고 찰떡궁합으로 들렸으니까요.

예수님은 정말 존경해야 할 분이었어요. 그런데 부처님에 비하면 콘텐츠가 좀 부족하다고 해야 하나? 아직 젊어서 그랬는지 전하는 말씀이 거칠다고 해야 하나? 부처님보다 패기는 앞서지만 들쭉날쭉 한 성경 말씀이 안정감은 많이 떨어졌어요.

교회는 아무리 열심히 다녀도 예수가 못 되잖아요? 그런데 언젠가 술 취한 스님 이모부가 '깨달으면 부처인겨!'라고 고래고래 소리치더군요. 부처와 동급이 될 수 있다는 그 말이 제 귀에 쏙 들어오데요? 지금 생각해보면 늘 그 말이 제 속에서 서성거렸어요. 그러니까 어쩌면 이모부가 저에게 최초의 화두를 던져준 것인지도 모르죠. 그 땡중 같던 이모부 스님이 고맙게도 말이죠.

어마? 누가 카톡으로 성탄 카드를 보냈네요? 어이구 웬일이야? 양반은 못되시겠네요. 스님 이모부시네요?

'조카, 교회든 절이든 어디든 일단 나가 봐. 문을 열고 일단 딱 한 걸음만 걸어.
한 번에 딱 한 걸음씩만. 세상은 그게 다야.'

하하하!
매일 이모만 볶아대는 줄만 알았더니, 가끔 저를 놀래키는 말씀을 하신다니까요.
아휴~~ 저 눈 좀 보세요! 오늘은 정말 함박눈에 묻혀 이대로 죽어도 좋을 특별한 날이네요. 그래요 그렇다면 죽는 셈 치고 한번 이모부님 말씀대로….
쉿!
일단 새까만 자장면을 배부르게 먹고, 불교 잡지 몇 페이지를 읽어 온몸에 부처님 기운이 좔좔 흐르도록 한 다음에… 문을 열고 눈은 반개하고, 첫발자국을 눈밭에 찍는 심정으로 꾹?
그리고 탐·진·치로 프로그램된 눈사람들을 뚫고… 함박눈이 쏟아지는 거리를 딱 한 번에 한 걸음씩만?

4막 겨울

부처님도 예수님도 다 내 발밑에서 꿈틀거리기에⋯ 내 발밑만 죽도록 비추어 돌아보면서⋯ 이미 함박눈인 내가⋯ 나를 가만가만 밟으며⋯ 쉿!

어휴~ 오늘은 아무래도 함박지게 좋은 날이 될 것 같아요!
맞지요?
그렇지요?

번뇌 만발 사람들에게 들려주는 소소한 이야기

마음이 나이만큼 안 늙어서

초판 1쇄 인쇄일   2017년 12월 15일
초판 1쇄 발행일   2017년 12월 20일

글   이형순
그림   손정은

발행인   초격스님(남기영)
발행처   대한불교조계종 불교신문사

편집인   박기련
책임편집 하정은
편집제작 선연

출판등록 2007년 9월 7일(등록 제300-207-133호)
주소   서울시 종로구 우정국로 67 전법회관 5층
전화   02)730-4488
팩스   02)3210-0179
e-mail   ibulgyo@ibulgyo.com

ⓒ 2017, 불교신문사

ISBN 978-89-960136-8-6   03810

값 14,000원